Luned Bengoch

Cyhoeddwyd yn wreiddiol: 1946
Mae'r argraffiad hwn yn seiliedig ar ddiweddariad
Hugh Jones, Gwasg Gomer, 1983
Hawlfraint y testun © Elizabeth Watkin-Jones
Cynllun y clawr: Efa Blosse-Mason
Hawlfraint yr argraffiad hwn: Y Lolfa, Tal-y-bont,
Ceredigion SY24 5ER, y lolfa.com

Mae cofnod catalog CIP ar gyfer y llyfr hwn
ar gael o'r Llyfrgell Brydeinig.
Dymuna'r cyhoeddwyr gydnabod cymorth
ariannol Cyngor Llyfrau Cymru.
ISBN 978-1-80099-135-4

Luned Bengoch

Elizabeth Watkin-Jones

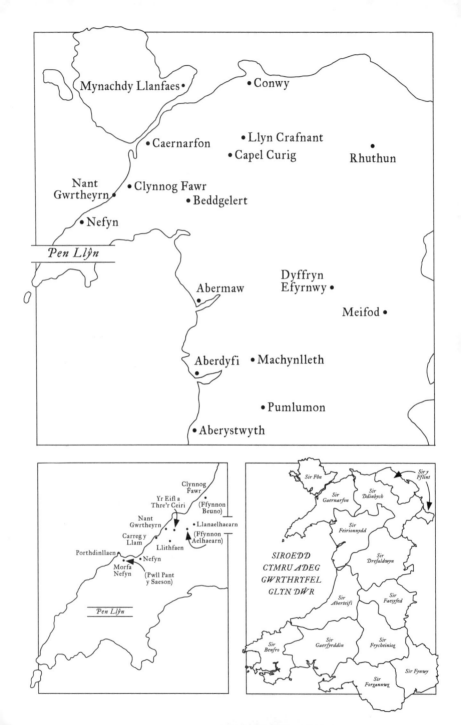

Mynachdy Llanfaes •
• Conwy

• Llyn Crafnant
• Caernarfon
• Capel Curig
Rhuthun •

Nant
Gwrtheyrn • • Clynnog Fawr
• Beddgelert

• Nefyn

Pen Llŷn

Abermaw •
Dyffryn
Efyrnwy •

Meifod •

Aberdyfi • • Machynlleth
•

• Pumlumon

• Aberystwyth

Clynnog
Fawr
Yr Eifl a
Thre'r Ceiri
(Ffynnon
Beuno)
Nant
Gwrtheyrn • Llanaelhaearn
Carreg y (Ffynnon
Llam Llithfaen Aelhaearn)
Porthdinllaen
• Nefyn
Morfa
Nefyn
(Pwll Pant
y Saeson)

Pen Llŷn

Sir Fôn
Sir y
Fflint
Sir
Gaernarfon
Sir
Ddinbych
Sir Feirionnydd
Sir
Drefaldwyn
SIROEDD
CYMRU ADEG
GWRTHRYFEL
GLYN DŴR
Sir
Aberteifi
Sir
Faesyfed
Sir
Benfro
Sir
Gaerfyrddin
Sir
Frycheiniog
Sir
Fynwy
Sir
Forganwg

Pennod 1

Tŷ mawr, cadarn, sgwâr, wedi'i adeiladu ar greigiau garw uwchben Nant Gwrtheyrn ym Mhen Llŷn oedd Castell Gwrtheyrn, cartref Huw Fychan. Curai'r tonnau yn erbyn y creigiau islaw, a phan fyddai gwynt y gogledd yn chwythu'n gryf o'r môr, byddai'r trochion yn golchi ei waliau cadarn. Er bod y castell mor agos i'r môr, roedd yn rhaid i Gwen a Rhys fynd i lawr i Nant Gwrtheyrn cyn eu bod yn gallu cyrraedd glan y môr a chrwydro ar hyd y tywod. Arweiniai llwybr troellog, a oedd yn torri trwy lethrau na allai dim ond gafr grwydro ar eu hyd, i'r pentref bychan a oedd yn nythu yng nghilfachau'r creigiau ar y traeth. Ar noson stormus ym mis Tachwedd 1401, disgynnai'r glaw yn genlli, a thaflai'r tonnau ewyn gwyn yn herfeiddiol yn erbyn clogwyni yr Eifl a Charreg y Llam. Ond ychydig oedd effaith y storm ar Gwen a Rhys, plant Huw Fychan. Roedd y ddau'n brysur yn eu diddori eu hunain ar lawr cegin fawr Castell Gwrtheyrn, gyda geneth bengoch a oedd yn byw mewn bwthyn isel yng ngwaelod y Nant.

"Be ddaw 'nhad i ni heno o ffair Nefyn, tybed?" meddai Rhys. "Mi fuaswn yn mynd i'w gyfarfod oni bai ei bod yn bwrw gormod."

"Mi fuasai'r gwynt yn dy daflu di i'r môr, 'ngwas i," meddai Modryb Modlen, hen wraig mewn oed a oedd yn eistedd wrth y tân mawn, â llwy fawr yn ei llaw. Rhoddai ambell dro i'r cawl a oedd yn berwi yn y crochan uwchben y tân.

Modryb Modlen oedd wedi magu'r plant yng Nghastell Gwrtheyrn ers i'w mam farw pan gafodd Gwen ei geni. Nid oedd hi'n perthyn o gwbl i Huw Fychan, ond Modryb Modlen y byddai pawb yn ardal Nant Gwrtheyrn yn ei galw.

Cododd Modryb Modlen ac edrychodd allan trwy'r ffenest. Gwelai allt serth yn ymestyn i lawr i'r nant o'i blaen, a golau gwan mewn ambell ffenest yn yr hafn islaw iddi. Edrychodd i fyny at gopa'r Eifl, ond roedd niwl tew wedi'i orchuddio, ac meddai gan ochneidio, "Mae'n drueni bod raid i wylwyr fod ar ben lle fel yna ar bob tywydd. A pha les wnân nhw ar noson fel heno? Does neb yn gallu gweld hyd ei fraich yn y niwl yma. Waeth i'r bechgyn druan fod wrth y tân yn eu tai."

"Mi fydd y cyfnod gwylio'n dod i ben am ddeg o'r gloch, Modryb," meddai Luned, yr eneth bengoch. "Mi glywais Gruffydd yn deud y byddai adre erbyn deg heno."

"Dydi hi ddim gwaeth ar wylwyr yr Eifl nag ydi hi ar wylwyr Tre'r Ceiri a mynyddoedd eraill," meddai Rhys. "Mi glywais 'nhad yn deud bod gwylwyr nos a dydd o'r Eifl i Eryri, ac ymlaen i'r Berwyn a Phumlumon."

Tynnodd Modryb y llenni a dechreuodd wneud swper. Ymhen ychydig, roedd bwyd ar y bwrdd – darn mawr o gig eidion a phastai o gig carw. Pan oedd hi ar hanner y gwaith, dyma sŵn ceffylau i'w glywed yn dod at y buarth a thwrw traed trwm yn y cyntedd. "Mae 'nhad a Dafydd wedi dŵad o'r ffair," meddai Gwen, "ac mae'n siŵr eu bod yn wlyb at eu crwyn."

Agorodd gwpwrdd a oedd yn ymyl y simnai fawr a thynnodd allan ddillad twym i'w thad a'i brawd hynaf. Agorwyd y drws yn sydyn a daeth rhuthr o wynt ac eirlaw i mewn i'r gegin.

"Noson arw," meddai'r tad. "Mi gafodd y ceffylau dipyn o drafferth i ddŵad â Dafydd a minnau adre heno. Roedd y gwynt yn syth i'n herbyn i fyny i Lithfaen."

"Sut ffair gawsoch chi?" gofynnodd Modryb, yn aflonydd rhwng y bwrdd a'r tân.

"Ddim gwerth sôn amdani," meddai'r tad. "Mae hi bron ar ben ar y tyddynwyr a'r amaethwyr; mae'n wir ddrwg gen i drostyn nhw. Does dim pris yn cael ei gynnig am eu hanifeiliaid. Mae'r Saeson wedi ein handwyo ni hefo'u deddfau melltigedig."

Trodd Dafydd at ei dad, gan roi ar y pentan y lliain roedd wedi'i ddefnyddio i sychu ei wallt. "Yr hyn sy'n gwneud i 'ngwaed i ferwi, 'nhad, ydi'r ddeddf sy'n gadael i bob Sais wneud pa bynnag ddrwg a fynno yng Nghymru, a does gennym ni ddim hawl i ddeud dim wrtho na'i gosbi, yn ein gwlad ni'n hunain." Trodd at yr hen wraig ac meddai, ar ôl petruso am foment, "Waeth i mi ddweud yn blaen, Modryb Modlen, rhaid i chi gael gwybod yn hwyr neu'n hwyrach. Mae 'nhad a finna am eich gadael."

"Ein gadael ni!" meddai Modryb Modlen, gan esgus ei bod

yn synnu ac yn rhyfeddu. Ond yr oedd yn disgwyl clywed y newyddion hyn ers misoedd bellach. Safodd yn fud, a'r llwy fawr yn ei llaw fel rhyw arf bygythiol, a dechreuodd Gwen grio. Edrychodd Rhys ym myw llygad ei dad, a'i wefusau'n crynu.

"Ie, deulu bach," meddai'r tad. "Mae Dafydd yn llygad ei le. Mae wedi deud calon y gwir. Fedrwn ni ddim bod yn dawel yma, ac ildio i ormes estron, tra mae'r dyn sydd wedi aberthu popeth er mwyn ei wlad yn cuddio ym mynyddoedd Eryri. Mae Owain Glyn Dŵr heddiw yn galw ar bob Cymro teilwng o'r enw i gymryd rhan yn yr ornest fawr, ac mae Dafydd a minnau, heddiw yn ffair Nefyn, wedi penderfynu ateb galwad corn y gad ac ymuno â'r Tywysog. Mae Sieffri Llwyd o Blas Newydd, Meredydd Wyn y Sychnant, a Merin ap Geraint o Landegwning a sawl uchelwr eraill yn dod efo ni. Mae'n ddyletswydd ar bob Cymro iawn i'w roi ei hun a'i eiddo at wasanaeth Owain Glyn Dŵr."

"Ga i ddod, 'nhad?" gofynnodd Rhys yn awyddus, a'i lygaid tywyll yn pefrio. "Ga i ymuno â'r Tywysog?"

Tynnodd Huw Fychan ei law dros ben Rhys. Ond ni chafodd Rhys ateb ganddo.

Eisteddodd Dafydd wrth y bwrdd. "Wyddoch chi be, Modryb," meddai, "mi fues i'n siarad â phorthmon o Gaernarfon heddiw, ac roedd o wedi gweld â'i lygaid ei hun ddynion yn gwerthu eu hanifeiliaid er mwyn prynu ceffylau a saethau a chyfrwyau i ymuno â'r Tywysog."

Syllodd Modryb Modlen i'r tân. "Ie, Dafydd," meddai'n fyfyriol gan bletio'i ffedog, "Ond rhaid ystyried yn ofalus cyn gwneud dim yn fyrbwyll, wel'di. Mae'n hawdd sôn am gaethiwed a rhyddid a rhyw eiriau mawr fel yna, ond does gan neb yma, yng Nghastell Gwrtheyrn, le i gwyno – hyd yn hyn, beth bynnag."

"Lle i gwyno, wir!" atebodd Dafydd yn danbaid. "Mae'n rhaid meddwl am rywun heblaw ni ein hunain, Modryb. Mae'r gweithwyr druan yn diodde dan y deddfau llafur creulon yma. Oeddech chi'n gwybod eu bod yn cael eu herlid fel bwystfilod i'w cadw'n gaeth, i fyw neu farw yn ôl ewyllys eu meistri, pwy bynnag yw'r rheini?"

Cododd ar ei draed a cherdded yn gynhyrfus yn ôl a blaen hyd y llawr. Gwyliai ei dad ef â rhyw hanner gwên ar ei wyneb.

"Wyddoch chi be, Modryb Modlen," meddai Dafydd, "mi welais i beth yn ffair Nefyn heddiw na fydda i byth yn ei anghofio i tra bydda i byw ar y ddaear. Gweld dyn â llythrennau wedi'u serio ar ei dalcen. A wyddoch chi pam? Am iddo fo wrthod cael ei lusgo'n ôl i weithio, fel caethwas bron, i un o Arglwyddi'r gororau! Mi glywais i'r hanes ganddo fo ei hun. Ac nid hwnnw ydi'r unig un o lawer. Ond diolch byth," aeth yn ei flaen a'i lais yn codi, "mae Cymru wedi deffro! Mae hi'n codi ei harfau. Mae ei dynion a'i bechgyn yn heidio i ymuno â'r Tywysog sy'n mynd i ennill rhyddid yn ôl i'w genedl!"

Tawodd yn sydyn. Roedd Rhys wedi neidio ar ei draed ac yn gafael yn dynn yn ei fraich. "Dafydd!" meddai, a'r cyffro'n llenwi ei lais, "Rydw inna'n dod efo chi! Peth ofnadwy ydi colli rhyddid, yntê? Rydw inna'n mynd i ymuno â'r Tywysog, a fedr neb fy rhwystro i!" Gafaelodd Huw Fychan yn llaw Rhys a'i roi i eistedd ar gadair wrth ei ymyl.

"Paid â gadael i dy deimladau dy reoli di, Dafydd,"

meddai'n dawel. "Rydan ni'n siarad gormod braidd yng nghlyw'r plant. Tyrd, Gwen. Tyrd, Rhys. Dewch i fwyta'ch swper. A dyma Luned hefyd. Rhaid i ti gysgu yma heno, Luned fach. Fedri di byth fynd i waelod Nant Gwrtheyrn yn y niwl 'ma. Ac mae cawodydd trwm o eirlaw'n dod rŵan ac yn y man."

Roedd yr eneth bengoch wedi bod yn gwrando, a'i dau lygad glas fel sêr disglair yn ei phen. Edrychai ar Huw Fychan fel un yn deffro o freuddwyd.

"Na, mae'n rhaid i mi fynd, rywsut," meddai. "Mi fydd Nain yn meddwl bod rhywbeth wedi digwydd i mi yn y niwl os nad af i. Rhaid i mi wneud dim ond dal i fynd i lawr ac i lawr nes cyrraedd y gwaelod. Ac mi rydw i wedi arfer cael codwm."

Chwarddodd Huw Fychan, ac meddai, "Mi ddaw Dafydd efo chdi ar ôl swper. Ac wedyn," aeth yn ei flaen gan droi at y ddau arall, "cyn i chi fynd i gysgu heno mae arna i eisio dangos rhywbeth i chi yn yr hen gastell 'ma nad oes neb ohonoch chi'n gwybod dim amdano. Efallai y bydd o o help i chi yn y dyddiau terfysglyd yma."

"Be ydi o, tybed?" sibrydai Rhys yng nghlust ei chwaer.

"Wn i ddim," oedd yr ateb. "Ond mi gawn ni wybod cyn bo hir."

Ar ôl swper aeth Dafydd i ddanfon Luned adref i'r bwthyn yng ngwaelod Nant Gwrtheyrn ac ar ôl dringo'r gamffordd – y llwybr – serth yn ôl, eisteddodd wrth y tân i gynhesu. Goleuodd Huw Fychan lamp, a dywedodd wrth Modryb Modlen a'r plant am ei ddilyn. Agorodd ddrws y neuadd ac aeth at y gist a oedd wrth y wal ym mhen pellaf yr ystafell.

Roedd hi'n gist drom, wedi'i cherfio, gyda chaead crwm, a byddai wedi'i chloi bob amser. Tynnodd Huw Fychan agoriad o'i boced a'i roi yn nhwll y clo.

"Be wyt ti'n feddwl sydd ynddi, Gwen?" sibrydodd Rhys, yn llawn chwilfrydedd.

"Wn i ddim, ond mi gawn ni weld rŵan," meddai Gwen.

Ar hynny, cododd y tad y caead a chlosiodd Modryb Modlen a'r plant ato gan ddisgwyl gweld rhyw drysor gwerthfawr. Edrychodd pawb i mewn i'r gist yn eiddgar. Ond er eu syndod a'u siom, roedd hi'n hollol wag.

Pennod 2

"Does dim byd ynddi, 'nhad!" meddai Rhys yn siomedig.

Gafaelodd Huw Fychan mewn bachyn haearn a oedd bron o'r golwg yng nghornel bellaf y gist a'i droi'n sydyn. Cododd gwaelod y gist fel caead gan ddangos twll du yn arwain i rywle yng ngwaelodion y ddaear.

"Drws ydi gwaelod y gist!" meddai Rhys mewn syndod.

"Ie, dos drwyddo," atebodd y tad gan ryw hanner wenu.

"Ond i ble, 'nhad?" holodd Rhys eto.

"Tyrd ar fy ôl i ac mi gei di weld," meddai'r tad, a chamodd i mewn i'r gist. Mewn ychydig eiliadau, roedd wedi mynd o'r golwg.

"Mae 'na risiau. Dos ar ôl 'nhad," meddai Gwen. "Mi ddof ar dy ôl di."

Camodd Rhys yn ofalus i mewn i'r gist, a theimlodd ei draed yn gadarn ar ris. Dilynodd olau lamp ei dad ac aethant i lawr y grisiau tywyll, llithrig. Roedd Rhys yn gwybod eu bod yn mynd i lawr i ganol y creigiau a oedd o dan sylfeini Castell Gwrtheyrn. Gallai glywed y môr yn rhuo oddi tano gan sugno'r graean o'r hafnau a'r cilfachau. Cerddodd yn araf ar ôl ei dad, ac o'r diwedd, cyrhaeddodd y gwaelod, â Gwen yn dynn wrth ei sawdl. Roedd Modryb Modlen yno hefyd, wedi gorchfygu ei hofn, ac yn mentro mynd i lawr yn ofalus y tu ôl iddynt.

Yng ngolau'r lamp, roeddent yn gallu gweld eu bod mewn ogof a oedd yn agor at fae bychan rhwng creigiau garw. Roedd y môr yn tonni'n ewyn gwyn i mewn iddi, gyda rhu trymllyd, bygythiol. Roedd cwch wedi'i dynnu i fyny i'r ogof, allan o gyrraedd y llanw, a'i angor wedi hanner ei guddio yn y tywod.

"Dyma'r lle roeddwn i am ei ddangos i chi," meddai'r tad. "Ogo'r Morlo ydi hon. Mi fydd y morloi'n hoff iawn o ddŵad yma, ond fel yr ydych chi'n gwybod, maen nhw'n berffaith ddiniwed. Dewch rŵan, mi awn ni allan at y creigiau. Paid â phoeni am wlychu dy draed, Gwen. Roddodd dŵr hallt ddim annwyd i neb. Does dim posib gweld penrhyn Porthdinllaen yn y niwl 'ma heno," aeth yn ei flaen gan graffu dros ei ysgwydd chwith i gyfeiriad y penrhyn. "Welwch chi'r cwch 'ma? Rydw i wedi croesi i Borthdinllaen ddegau o weithiau yn hwn heb i chi na neb arall wybod dim am y peth, na gweld fy ngholli i."

"Ond i be, 'nhad?" gofynnodd Rhys. "Mi fuasai'n haws o lawer mynd yno dros y tir ar gefn Bess."

"Byddai," meddai yntau, "ond ers i ni gael yr helynt yma yn ein gwlad, mae'n rhaid osgoi llygaid pobl weithiau. Gwaetha'r modd, dydi Cymru i gyd ddim yn deyrngar i Owain Glyn Dŵr ac mae gan frenin Lloegr fwy o gyfeillion ac ysbïwyr nag a feddyliech, hyd yn oed mewn lle fel hyn."

"Ond 'nhad, pam mae'n rhaid i chi fynd i Borthdinllaen heb i neb eich gweld chi?" gofynnodd Rhys eto mewn penbleth.

Roedd Dafydd hefyd wedi'u dilyn i lawr i'r ogof, ond nid oedd wedi dweud yr un gair hyd yn hyn. Eisteddai ar ddarn o graig yng nghanol y tonnau mân gan syllu draw i gyfeiriad Ynys Môn, er nad oedd yn gallu ei gweld o gwbl yn y caddug a'r niwl. Ond rŵan trodd at Rhys ac atebodd yn lle ei dad.

"Paid â holi," meddai wrtho'n ddiamynedd, ac yna, wrth ei dad, "'Nhad, rhaid i mi ofyn i chi rŵan yr un peth ag y gwnaethoch chi ei ofyn i mi yn y gegin, dro'n ôl. Ydi hi'n ddoeth i chi ddeud cymaint yng nghlyw y plant 'ma?"

Gwenodd y tad ac meddai'n dawel, "Mae gen i reswm dros wneud, Dafydd. Rwyt ti'n gwybod am deimladau rhai o'r gwledydd dros y môr acw tuag at ein Harweinydd. Mi glywaist y si yn Nefyn heddiw fod Rhun ap Clud, cefnder Crach Ffinnant, a dynion eraill yn gwibio'n ôl a blaen rhwng ein Tywysog a phenaethiaid Iwerddon a'r Alban, a phwy a ŵyr pa mor fuan y daw cymorth? Fel rwyt ti'n gwybod, mae nifer o wylwyr Owain Glyn Dŵr, y munud 'ma, mewn ogofau ar draethau Meirionnydd ac mae pawb yn gwybod bod Porthdinllaen yn borthladd saff a dirgel i lanio ynddo. Rwyt ti a fi yn mynd i adael y lle 'ma – Duw a ŵyr am ba hyd – ond mi fydd Gwen a Rhys yma, a phwy a ŵyr na fydd Castell Gwrtheyrn yn lloches ac yn noddfa i'n cyfeillion adeg helynt? Na, mae'n rhaid i Rhys a Gwen wybod tipyn am yr amgylchiadau, Dafydd, ac rwy'n gwybod y gallaf ddibynnu ar eu ffyddlondeb. A'm Modryb, wrth gwrs, mae hi fel ninnau. Weli di rŵan pam rydw i yn siarad fel hyn?"

"Gwelaf, 'nhad," meddai yntau. "Wnes i ddim meddwl am

hynny." Yna trodd at ei frawd a'i chwaer ac meddai, a thinc awdurdod yn ei lais – tinc a ddaeth â gwên fechan i lygaid y tad. Roedd ei fab hynaf wedi tyfu'n ddyn dros nos.

"Cofiwch chi'ch dau beidio â sôn wrth neb byw am yr hyn rydych chi wedi'i weld ac wedi'i glywed heno. Mi wn fod Modryb yn saff, wrth gwrs, ond mae plant fel chi'n medru deud pethau'n ddifeddwl weithiau." A chyn i Rhys cael cyfle i ateb, ychwanegodd Dafydd, "Cofiwch beidio â deud wrth neb, hyd yn oed wrth Luned."

Addawodd y ddau wneud hyn, er bod Rhys yn ddig iawn bod Dafydd yn sôn amdano fel plentyn. Nid oedd chwaith yn teimlo'n hapus wrth gadw Luned allan o'r gyfrinach. Byddai Luned bengoch yn dweud y cwbl wrtho ef a Gwen bob amser.

Pennod 3

"Ddoist ti, 'ngeneth i?" oedd cyfarchiad Nain pan gyrhaeddodd Luned y bwthyn trwy'r niwl.

"Do, Nain," oedd yr ateb. "Mi ddaeth Dafydd i 'nanfon i."

"Gest ti swper?"

"Do, Nain. Mi ges i gawl a phastai ar ôl i Modryb Modlen eu gwneud erbyn i Meistr a Dafydd ddod adre o ffair Nefyn."

'Meistr' byddai'r tyddynwyr a'r pentrefwyr o gwmpas Castell Gwrtheyrn yn galw Huw Fychan bob amser, ac roeddent i gyd yn denantiaid iddo.

"Nain," meddai Luned yn sydyn. "Mae Meistr a Dafydd am fynd i ffwrdd."

"O, felly wir," meddai'r hen wraig. "I ble, dywed?"

"I ymuno ag Owain Glyn Dŵr," meddai Luned.

"Rydw i'n synnu na fuasai'r ddau wedi mynd ynghynt," meddai'r hen wraig. "Petai mwy wedi cymryd rhan yn yr ornest fawr mi fyddai wedi llwyddo'n well ac ni fyddai'n rhaid i Glyn Dŵr guddio yn yr ogofeydd ac yng nghilfachau'r mynyddoedd. Ond coelia di fi, mi ddaw allan eto, fel llew'n rhuo, i ryddhau ein gwlad. Dos i dy wely, 'ngeneth i."

Ond nid oedd yr eneth bengoch yn fodlon iawn mynd.

"Nain," meddai'n synfyfyriol. "Dydw i ddim yn cofio 'nhad a mam. Colli ei fywyd wrth ymladd dros ein gwlad wnaeth 'nhad? Fyddwch chi byth yn sôn am yr un ohonyn nhw."

Cododd Nain ar ei thraed yn sydyn, ac am y tro cyntaf erioed, gafaelodd yn chwyrn ym mraich Luned. "Wyt ti am fynd i dy wely ai peidio?" meddai, yn ddrwg ei thymer. "Mae dy dad a dy fam yn eu bedd, a dyna ddigon i ti. Dos i dy wely y funud 'ma!"

Edrychodd Luned mewn syndod ar yr hen wraig. Beth oedd yn bod arni heno? Tybed a oedd hi'n sâl? Cododd yr eneth yn ara' deg ac aeth y tu ôl i fainc bren gefn uchel. Dyma ble roedd hi a Nain yn cysgu. Gwely o frwyn oedd ganddynt, wedi'i orchuddio â lliain caled, a chwrlid o frethyn cartref wedi'i daenu drosto. Brychan oedd enw Nain am y cwrlid yma. Cyn gynted ag roedd y pen fflamgoch, cyrliog ar y gobennydd, caeodd y ddau lygad glas, a'r funud nesaf roedd Luned yn cysgu'n drwm.

Eisteddodd Nain yn hir gan syllu i wacter. Yna rhoddodd ochenaid hir a sibrydodd yn ddistaw wrthi ei hun, "Wnes i'n iawn, tybed? Gobeithio nad ydw i'n pechu. Ond mae'n cael popeth alla i ei roi iddi."

Cododd yn ara deg, ac ar ôl sicrhau bod bar ar y drws a'r llenni'n gorchuddio'r ffenest fechan, aeth y tu ôl i'r fainc a syllodd yn hir ar ben coch cyrliog yr eneth. "Ydi, mae'n cysgu'n drwm," meddai dan ei hanadl.

Trodd, ac aeth yn syth at garreg yr aelwyd, gan roi pwniad i'r tân mawr. Aeth ar ei gliniau o flaen y tân, a gydag ysgub frwyn fechan, ysgubodd y lludw llwyd a oedd yn gorchuddio'r aelwyd. Yna, gwnaeth rywbeth tebyg i'r hyn ag yr oedd Huw Fychan wedi'i wneud ynghynt yng Nghastell Gwrtheyrn, ond mewn dull gwahanol.

Cododd ddarn o garreg yr aelwyd fel caead bocs, gan ddatguddio twll. Ond nid drws yn arwain at ogof oedd hwn, fel gwaelod cist Huw Fychan. Nid oedd y twll yma ond rhyw droedfedd a hanner o ddyfnder. Tynnodd Nain focs allan ohono a'i gario'n ofalus at y bwrdd. Agorodd ef, ac yng ngolau'r gannwyll frwyn, gwelodd fod y bocs yn llawn aur melyn.

Cododd ddyrnaid ohono, a gadawodd i'r darnau lithro'n ôl i'r bocs rhwng ei bysedd. Daeth gwên i'w hwyneb rhychiog wrth glywed sŵn tincian yr aur. Yng ngwaelod y bocs roedd darn o femrwn wedi'i blygu, a rhyw ysgrifen arno. Roedd wedi'i selio'n drwm, ond ni chymerodd yr hen wraig lawer o sylw ohono. Yr aur oedd yn mynd â'i bryd. Chwarddodd yn ddistaw bach wrth feddwl am syndod y cymdogion petaent yn gwybod pa mor gyfoethog yr oedd hi. Gallai gael tŷ gwell o lawer na'r bwthyn tlawd yma pe bai hi'n dewis. Gallai brynu beth bynnag yr oedd yn ei ddymuno. O, gallai wneud unrhyw beth gyda'r arian yma. Ond nid oedd hi am wneud. Na, dim perygl! Wrth eu cadw a'u cuddio roedd cysur i'w gael!

Nid oedd rhaid gwario'r nesaf peth i ddim o'r arian. Roedd Luned yn cael hanner ei chadw yng Nghastell Gwrtheyrn. Roeddent yn hoff iawn o Luned bengoch yn y castell, ac nid oedd rhaid i Nain byth gael clogyn na phais na dim iddi gan fod rhai Gwen yn ei ffitio mor dda. Roedd Luned yn cael popeth y dylai plentyn ei gael.

Cododd Nain ei phen yn sydyn. Beth oedd y twrw yna? Caeodd y bocs, a gwrandawodd yn astud. Y cyfan a glywai oedd ych yn brefu ar y rhostir a sŵn trist cornicyll yn y pellter. Ond rhaid oedd cadw'r bocs yn ddiogel.

Rhoddodd yr hen wraig y bocs yn ôl yn ofalus. Chwalodd y lludw llwyd hyd garreg yr aelwyd a rhoddodd dywarchen o fawn ar y tân i'w gadw'n fyw tan y bore. Yna aeth y tu ôl i'r fainc ac i'r gwely at Luned.

Ymhen ychydig, roedd pawb ym mhentref Nant Gwrtheyrn yn cysgu, a gwylwyr yr ail gyfnod gwylio'n cerdded yn ôl a blaen yn y niwl ar ben yr Eifl yn barod i gynnau'r goelcerth rybuddiol petai angen am hynny.

Pennod 4

Trannoeth, roedd pawb yng Nghastell Gwrtheyrn wrthi'n brysur yn paratoi ar gyfer y Meistr a Dafydd yn gadael. Byddai'n rhaid trefnu i ofalu am y lle gan na fyddent hwy eu dau, na nifer o'r gweision chwaith, yno i edrych ar ei ôl. Rhys oedd i ofalu bod y gwaith yn parhau fel cynt gyda help rhyw hanner dwsin o ddynion hŷn. Roedd y gweision cryf, heini, yn mynd gyda'r Meistr i ymuno â Glyn Dŵr.

Roedd Rhys yn methu'n lân â deall sut y byddai ei dad a'r dynion yn dod o hyd i Glyn Dŵr. Roedd wedi clywed bod y Tywysog yn cuddio ym mynyddoedd Eryri, ac oddi yno roedd yn gweithio'n egnïol i godi byddin a fyddai'n ddigon cryf i frwydro yn erbyn y Saeson. Roedd Harri IV, brenin Lloegr, yn gweld y fath berygl o golli Cymru nes iddo ddod ei hunan gyda'i fyddin i geisio dal Owain Glyn Dŵr. Daeth ef a'i filwyr i Fôn, a meddiannu Mynachdy Llanfaes a phob peth a oedd yn perthyn iddo.

Gwelodd, fodd bynnag, mai gwaith amhosibl oedd dod o hyd i Glyn Dŵr yng nghilfachau anghysbell Eryri, ac felly doedd dim i'w wneud ond dychwelyd o Gymru heb ennill y nesaf peth i ddim.

Roedd llawer o'r Cymry, fel Huw Fychan, yn gadael y cwbl er mwyn ymuno â Glyn Dŵr, a channoedd yn mynd ato i'r mynyddoedd. Heidiodd ugeiniau o'r Cymry a oedd ar wasgar yn Lloegr, yn cynnwys myfyrwyr o brifysgolion Caergrawnt a Rhydychen, at faner y Tywysog a feiddiodd godi i achub ei genedl.

Yn hwyr y noson cyn i Huw Fychan a Dafydd adael Castell Gwrtheyrn, roedd y teulu'n eistedd wrth y tân yn y neuadd. Roedd Dafydd wrthi'n adrodd yr hanes am Owain Glyn Dŵr yn rhoi tref Rhuthun ar dân ar ddiwrnod ffair, i dalu'n ôl i'r Arglwydd Grey o Ruthun am gipio'i hen gartref. Nid dyma'r tro cyntaf i'r hanes gael ei adrodd gyda blas ar aelwyd Castell Gwrtheyrn, ac roedd Gwen yn dychmygu gweld Owain yn dod i ffair Nefyn ar geffyl mawr a thorch danllyd yn ei law, a thanio'r lle nes byddai'r dynion a'r anifeiliaid yn ffoi, a hwythau'n brefu ar draws ei gilydd. Dyna oedd syniad Gwen am danio tref. Ond roedd Rhys yn gwybod yn well.

"Pam oedd o wedi llosgi Rhuthun, Dafydd?" gofynnodd.

"Arglwydd Grey ydi perchennog y rhan fwya o'r dref," meddai Dafydd, "ac efallai mai amcan Glyn Dŵr oedd difa eiddo ei elyn. Ond, cofia di, mi fydd y diniwed, fel yr euog, yn diodde adeg rhyfel ac mi fydd..."

Cyn iddo orffen y frawddeg, daeth sŵn curo taer ar ddrws y gegin. Rhedodd Modryb yno i symud y bar cryf ac i agor y drws.

"Ydi Meistr i mewn?" meddai llais crynedig. "O, Modryb bach, gofynnwch iddo ddod i lawr i'r Nant i'n tŷ ni. Mae

Nain yn wael iawn. Wn i ddim be i'w wneud." Luned oedd yno, yn sefyll yn y drws yn sypyn gwlyb ac yn fyr ei gwynt. Roedd wedi rhedeg trwy'r glaw a'r tywyllwch ar hyd y rhan fwyaf o'r allt serth i fyny i'r castell, heb feddwl am ofn, yn ei phryder am ei nain.

"Mi ddof efo chdi'r funud 'ma, Luned," meddai Huw Fychan. "Aros i mi oleuo'r lamp. Gwen, tyrd â llond corn hirlas o ffisig i mi."

Gafaelodd y Meistr yn llaw'r eneth ac aeth y ddau i lawr trwy'r grug a'r mwsogl a'r eithin gwlyb nes iddynt gyrraedd y gwaelod. Roedd mynd i lawr yn anoddach na dringo i fyny, a dim ond y rhai a oedd yn adnabod pob modfedd o'r gelltydd a'r clogwyni serth a fyddai'n gallu gwneud hyn.

"Beth sy'n bod arni, tybed?" meddai Huw Fychan wrth wthio trwy'r mieri a oedd yn tagu'r llwybr. "Ydi hi mewn poen, Luned?"

"Mae'n drysu'n arw, ac yn boeth fel tân," meddai'r eneth. "Roedd hi'n cwyno ddoe ac echdoe, ond roedd hi'n mynd o gwmpas fel arfer. Ond heno, pan oedd hi'n eistedd wrth y tân, mi syrthiodd oddi ar y fainc ac mi gefais drafferth fawr i'w chodi hi. Dydi hi byth wedi dod ati ei hun a dydi hi ddim yn fy nabod. Mi fedrais i ei chael hi i'r gwely, ond mae hi'n dal i siarad bob munud am bethau dwi ddim yn gwybod dim byd amdanyn nhw. Dyna be wnaeth i mi redeg i fyny heno. Wn i ddim be i'w wneud, na be i'w roi iddi."

Cyrhaeddodd y ddau y bwthyn o'r diwedd a dyna ble roedd Nain ar ei gwely y tu ôl i'r fainc, yn troi a throsi'n barhaus. Roedd ei llygaid yn llydan agored ac roedd y Meistr a Luned yn ei chlywed yn mwmian siarad cyn iddynt godi'r glicied. Daliodd Huw Fychan y lamp yn ei hwyneb, gan afael yn ei braich. Daeth ias ofnadwy o ddychryn drosto. Roedd yr hen wraig mor aflonydd yn y dwymyn, nid oedd yr un cerpyn dros ei hysgwyddau na'i breichiau melyn, tenau. Wrth graffu arnynt, teimlodd Huw Fychan ei waed yn rhewi a'i feddwl yn crebachu.

Roedd y marciau du roedd yn eu gweld yn profi y tu hwnt i bob amheuaeth fod y Pla Du ar Nain, ac meddai, a chryndod yn ei lais, "Roeddwn i'n meddwl bod y Marw Du wedi hen ddiflannu o'r tir. Ond os ydw i'n gwybod rhywbeth am y pla, ac rydw i wedi'i weld fwy nag unwaith, mae'r Pla Du ar dy Nain, Luned fach. Duw a Mair a'n cadwo!"

"Pla Du! Be ydi o, Meistr?" gofynnodd Luned mewn dychryn. Roedd hi'n gwybod ei fod yn rhywbeth i'w ofni, yn ôl llais y meistr.

"Salwch a ddisgynnodd ar ein gwlad fel pla ofnadwy ryw hanner can mlynedd yn ôl ydi o," meddai yntau. "Mi fu cannoedd farw yr adeg honno. O oes, mae hanes difrifol iddo. Cafodd trefi a phentrefi cyfan eu hysgubo gan y pla fel nad oedd fawr neb ar ôl ynddyn nhw. Gobeithio mai hwn fydd yr achos olaf ohono. Dos i fyny i'r Castell at Modryb a Gwen, ac aros yno, Luned fach. Mi arhosa i efo dy nain."

"Na wna i. O, na! Wna i byth adael Nain!" meddai Luned yn bendant. "Ydach chi'n siŵr mai'r Pla Du sydd arni, Meistr? Sut ydych chi'n gwybod?"

Symudodd Huw Fychan y lamp yn nes at yr hen wraig a oedd yn parablu ac yn siarad yn ddi-baid.

"Weli di'r marciau du yna, Luned? Dyna arwydd y pla ofnadwy. Does dim modd ei gamgymryd. Rydw i wedi clywed gormod yn ei gylch ac wedi'i weld hefyd. Dos i nôl powlen o ddŵr i mi, 'ngeneth i."

Rhedodd Luned allan i'r tywyllwch, i'r ffynnon a oedd yn tarddu o'r graig y tu ôl i'r tŷ. Sychodd Huw Fychan y chwys oer a oedd yn tasgu oddi ar dalcen Nain.

"Pan ddaw'r bore," meddai dan ei anadl, "mi af i Lyn y Gele i nôl gelen neu ddwy i sugno tipyn o'r gwenwyn a'r gwaed afiach, er fy mod i'n gwybod mai gwaith ofer fydd y cwbl. Gobeithio'r nefoedd mai hwn fydd y diwethaf am byth o'r pla dinistriol."

"Pwy sy 'na?" meddai Nain mewn llais clir. Hyd yn hyn, roedd hi'n sibrwd yn aneglur ac nid oedd modd ei deall. Rŵan, roedd hi'n siarad yn glir a chroyw.

"Pwy sy 'na? Pam dydych chi ddim yn ateb?" meddai wedyn.

"Huw Fychan," atebodd yntau. "Ydach chi'n fy nabod i?"

"Wedi dod i nôl Luned ydach chi?" meddai Nain yn wyllt. "Chewch chi byth mohoni. Fi pia hi. Fi a'i magodd hi."

"Ie, chi bia Luned, Nain," meddai Huw Fychan, gan geisio'i thawelu. "Chaiff neb byth fynd â Luned oddi arnoch chi."

"Na, chân nhw byth mo Luned yn ôl," llefai'r hen wraig, a chododd yn gryf ar ei heistedd. "Lle da ydi Nant Gwrtheyrn i guddio ynddo. Ha, ha! Dyna pam y daeth yr hen Dywysog Gwrtheyrn yma ers talwm, ar ôl bradychu ei wlad i'r Saeson. Dyna pam y dois inna yma hefyd. Bradychu, ie? Bradychu! Bradychu pwy? Bradychu Luned? Pwy ddeudodd 'mod i wedi bradychu Luned?"

"Neb, Nain bach. Dyma fi. Yfwch hwn," meddai Luned. Roedd yr eneth wedi dod yn ôl ac yn dal y ddiod wrth enau'r hen wraig. Yfodd hithau'n awchus.

"Tân, tân, tân y tu mewn i mi!" meddai wedyn. "Tân, ie tân ar garreg yr aelwyd. Beth petai'n llosgi'r papur? Y papur! Y memrwn! Y papur wnes i gipio oddi ar – pwy? Y bardd teulu? Nage. Y crythor? Ond yr un oedd y crythor a'r bardd teulu, siŵr iawn. Ydi o'n fyw? Fi ddaru gymryd y memrwn. Ha, ha, ha! Mi ges i dâl da am fynd. Ond wyddai neb am y papur. Ble mae o? Tân, tân, tân y tu mewn i mi! Wnaiff y tân losgi'r papur?"

"Na wnaiff, Nain," meddai Huw Fychan. "Gorweddwch i lawr. Trïwch gysgu."

"Cysgu, a'r arian dan garreg yr aelwyd? Na wnaf byth!" meddai Nain. Yna, daeth sŵn rhyfedd i'w gwddf a syrthiodd yn ôl ar y gwely brwyn. Daeth rhyw gysgod llwyd dros ei llygaid a chiliodd y gwrid tanbaid o'i gruddiau fel lamp yn diffodd.

"Luned," meddai'n aneglur, "dos i Blas . . ."

Ond cyn i Nain ddweud gair arall, roedd hi wedi marw, a pha gyfrinach bynnag a oedd ganddi wedi'i hatal ar ei gwefusau gwelw.

Pennod 5

Claddwyd yr hen wraig ymhen ychydig ddyddiau ac nid oedd neb o gwbl i alaru ar ei hôl ond Luned.

Nid oedd neb o drigolion yr ardal yn gwybod pwy oedd Nain nac o ba le yr oedd hi wedi dod. Roeddent yn cofio'n dda amdani'n dod yno i fyw yn y bwthyn isel a oedd wedi bod yn wag am flynyddoedd cyn i Nain ei feddiannu. Ni fyddai neb yn mynd a dod i'r Nant, ac roedd yr un teuluoedd yn byw yn y bythynnod o'r naill genhedlaeth i'r llall. Felly bu tipyn o synnu a siarad pan ddaeth Nain i'r bwthyn gwag, a mawr oedd y dyfalu o ble roedd hi wedi dod.

Dywedai rhai ei bod hi wedi dod o Sir Feirionnydd, ac eraill ei bod wedi dod o Sir Ddinbych. Ond er iddynt holi a holi, nid oeddent lawer doethach. Daeth yno â phecyn ar ei chefn a baban mewn siôl ar ei braich, ar brynhawn poeth yn yr haf. Prynai ychydig gelfi o dro i dro yn ffair Nefyn, a'u cario fesul un ac un ar ei chefn yr holl ffordd o Nefyn i Nant Gwrtheyrn. Nid oeddent i gyd gyda'i gilydd yn fawr o werth, ond roedd Luned yn eu trysori am mai pethau Nain oeddent.

Ar ôl i Nain farw, pan aeth pobl i holi am ei pherthnasau, roedd Luned yn methu rhoi unrhyw wybodaeth iddynt. Y cwbl roedd hi'n ei wybod oedd mai mab Nain oedd ei thad a'i fod ef a'i mam wedi marw pan oedd Luned yn faban bach, a Nain wedi'i chymryd a'i magu. Felly nid oedd neb i ollwng deigryn uwchben bedd Nain ond Luned bengoch. Rhoddwyd clo ar y bwthyn ar ôl yr angladd a gorchymyn olaf Huw Fychan cyn gadael ei gartref i ymuno ag Owain Glyn Dŵr oedd bod Luned yn dod i fyw yng Nghastell Gwrtheyrn efo Rhys a Gwen. Yn wir, nid oedd ganddi arian nac unman arall i fynd iddo. Nid oedd hi'n syndod bod ei chariad at deulu'r Meistr, a'i diolchgarwch iddynt, mor ddwfn yn ei chalon fel y byddai'n marw drostynt petai rhaid iddi.

* * *

Aeth misoedd heibio, ac yn ystod yr amser yma chwyddodd byddin Owain Glyn Dŵr gymaint fel y teimlai Harri, brenin Lloegr, ei fod mewn argyfwng. Nid oedd ar delerau da â Ffrainc, na'r Alban, chwaith. Meddyliodd am gynllun i adennill cyfeillgarwch y Cymry a chyhoeddodd fod pardwn i'w roi i bob Cymro a oedd wedi gwrthryfela yn ei erbyn, ac eithrio Glyn Dŵr ei hun ac un neu ddau o'i arweinwyr.

Ond ni wnaeth hyn ddim lles yn y byd i frenin y Saeson. Symudodd Owain a'i ddynion o Eryri i Bumlumon ac o'r fan honno dechreuodd boeni tipyn ar Harri eto. Roedd Huw Fychan a Dafydd gyda'r Tywysog yn yr ymosodiadau aml o Bumlumon i'r gwastadedd. Erbyn hyn roedd Owain yn teimlo bod ei fyddin yn ddigon cryf i frwydro. Daeth y Cymry a'r Saeson yn erbyn ei gilydd yn Hyddgant, ychydig i'r gogledd o Bumlumon a chafodd Owain fuddugoliaeth lwyr arnynt. Roedd hi fel petai pob dim o blaid Glyn Dŵr yr adeg yma.

Cafodd brenin Lloegr ofn a daeth i Gymru unwaith eto. Ond nid oedd yn llwyddiannus y tro hwn, chwaith.

Gwnaeth tipyn o ddifrod yn y wlad, ond oherwydd newyn, cafodd ei yrru yn ôl i'w wlad ei hun. Nid oedd ef na'i filwyr yn gartrefol yng ngwlad fynyddig a dieithr y Cymro.

Nid oedd teulu Castell Gwrtheyrn yn gwybod fawr ddim am yr helyntion hyn. Negeswyr a marchogion oedd yr unig rai a oedd yn dod â newyddion iddynt. Yn aml iawn nid oedd yn werth i negesydd ddod ar hyd ffyrdd mor arw, yn arbennig o gofio cyn lleied o bobl a oedd yn byw yn yr ardal. Byddai Rhys yn mynd i Nefyn weithiau, yn y gobaith y byddai rhyw newyddion wedi cyrraedd. Ond anaml iawn y byddai ganddo ddim o bwys i'w ddweud ar ôl dychwelyd i Gastell Gwrtheyrn.

Bron bob dydd, byddai Rhys yn cerdded milltiroedd gyda'i fwa a saeth ar hyd lethrau'r Eifl a Thre'r Ceiri, a Luned yn ei ddilyn bob amser ac yn dewis y saethau iddo o'r cawell. Dysgodd Rhys hi i drin y bwa ac yn fuan iawn daeth cystal ag yntau am saethu. Roedd hi'n amhosibl perswadio Gwen i afael mewn bwa, a phan fyddai Rhys a Luned yn mynd allan i hela, byddai Gwen yn aros gartref gyda Modryb. Nid oedd Gwen a Rhys byth yn sôn, hyd yn oed wrth ei gilydd, am Ogo'r Morlo a'r drws cudd a oedd yng ngwaelod y gist dderw.

"Weli di, Luned, fel mae'r môr yn codi," meddai Rhys un noson wrth ddod yn ôl a'i fag hela'n llawn. "Mae hi am storm fawr heno. Sbia ar liw'r machlud. Mae'r awyr yn rhy goch o lawer i fod yn arwydd da."

"Ie, wyt ti'n gallu clywed y tonnau'n crafu'r gro ar draeth Carreg y Llam? Mi fyddai Nain yn deud bob amser bod hynny'n arwydd o dywydd mawr," atebodd Luned. Daeth eu geiriau'n wir. Cododd gwynt y gogledd yn gryf o'r môr gan ochneidio'n druenus rhwng hafnau'r Eifl a Thre'r Ceiri. Roedd y tonnau'n torri'n drochion berwedig yn erbyn y creigiau o dan yr hen gastell a'r ewyn yn codi fel cwmwl gwyn hyd at ei ffenestri, bron.

"Noson ofnadwy," meddai Modryb Modlen. "Ble mae'r Meistr a Dafydd heno, tybed? Gobeithio'u bod rywle dan do, beth bynnag. Trueni na fyddai'r Bod Mawr yn gweld yn dda i roi terfyn ar y rhyfel 'ma, er mwyn i ni eu gweld yn dod yn ôl. Ewch i'ch gwelyau, blant, i mi gael paratoi'r tân erbyn y bore. Ewch, wir, mae'r gwynt 'ma yn codi ofn ar ddyn!"

Cyn hir, roedd Castell Gwrtheyrn mewn tywyllwch a phawb yn cysgu'n dawel. Ond cadwai sŵn y tonnau Rhys yn effro.

Roedd y gwynt yn cryfhau a'r storm yn hyrddio oddi allan. Cododd y bachgen ac aeth at y ffenest. Ond nid oedd dim i'w weld ond y môr fel crochan cynddeiriog. Yn sydyn, trwy'r storm i gyd, dyma guro wrth y drws, a gwaedd uchel.

"Codwch, deulu! Codwch! Mae llong ar y creigiau! Llong wedi taro yn erbyn Maen Tynged! Codwch!"

Y Maen Tynged! Sawl llong o'r blaen oedd wedi'i dryllio ar y creigiau garw a oedd yn gwthio i'r môr!

Neidiodd Modryb a'r genethod o'u gwelyau. Roedd Rhys eisoes wedi gwisgo amdano'n frysiog ac yn carlamu i lawr yr allt serth, gan syrthio a chodi a syrthio eto nes iddo gyrraedd y gwaelod o'r diwedd.

Ar y traeth roedd ychydig o bentrefwyr wedi dod ynghyd, yn ddynion a gwragedd, a'r gwynt yn lluchio yn eu herbyn.

"Dacw hi! Weli di hi? Mae hi bron ar y lan!" gwaeddodd un o'r dynion yng nghlust Rhys. "Mae hi wedi taro yn erbyn Maen Tynged!" A diflannodd i'r tywyllwch.

"Llongddrylliad, Rhys!" meddai un arall, ac angerdd yn ei lais. "Fan acw. Mae rhai o'r criw wedi dod yn saff i'r lan. Maen nhw wedi'u cario i'r tai. Trio mynd i Borthdinllaen roedd hi, meddan nhw. Ond mi chwythwyd hi oddi ar ei llwybr i'r fan yma. Mi fentrwyd ei llywio efo rhaff allan cyn belled â Chraig y Mellt!"

Ar hyn, daeth golau gwan o fwrllwch y môr, ac meddai'r dyn yn gynhyrfus, "Dacw fo! Ie'n wir! Dacw un eto yn dod i'r lan, yn fyw neu'n farw!"

Rhedodd y dyn i gynorthwyo a brasgamodd Rhys ar ei ôl, a'r storm yn hyrddio o'i gwmpas. Teimlodd law yn gafael yn ei ysgwydd.

"Mae gennych chi le dipyn gwell yng Nghastell Gwrtheyrn nag sydd yn y bythynnod yma i'r dynion druan," meddai llais o'r tywyllwch. "Mi fedrwn eu cario i fyny ar lidiart neu ddrws, os wyt ti'n fodlon. Mae yna un creadur ar y traeth y funud 'ma!"

"Mi ddof efo chi ar unwaith," meddai Rhys, "Ac mi fedra i helpu i gario pan fyddwch yn newid dwylo."

Chwythai'r gwynt yn fygythiol, gan yrru'r cymylau duon ar ffo wrth i'r dynion ymdrechu i gario'r trueiniaid i fyny'r ffordd droellog, serth, at Gastell Gwrtheyrn, a nerth y storm yn bygwth eu taflu oddi ar y llwybr.

Roedd y dynion yn anadlu'n drwm ar ôl stryffaglu dros y pentyrrau cerrig. Pan oeddent ar ganol yr allt arw, a'r dynion yn newid ysgwyddau o dan y drws, dyma'r un a oedd a'i ysgwydd o dan y baich yn union y tu ôl i Rhys yn gafael yn sydyn yn ei law yn y tywyllwch.

Er ei syndod, llaw geneth ydoedd! Llaw y bu'n gafael ynddi lawer gwaith. Llaw Luned bengoch!

Pennod 6

Luned! Llwyddodd Rhys i droi digon ar ei ben i'w gweld. Luned yn y fan yma! Ond byddai Luned yn gwneud rhywbeth mentrus fel hyn bob amser. Os byddai perygl yn rhywle, byddai Luned yno ar y blaen. Nid oedd hi'n ofni neb na dim. Roedd Rhys yn gwybod yn eithaf da bod Gwen yn crynu wrth y tân yng nghysgod siôl Modryb Modlen, ond roedd Luned wedi'i ddilyn trwy'r storm a'r tywyllwch i'r traeth. A dyma hi, a'i hysgwydd fach nerthol o dan y baich, yn dringo i fyny'r llwybr anodd.

Roedd y dyn a orweddai ar y drws mor llonydd a thrwm â phe bai wedi marw, ac ofnai Rhys eu bod yn cario corff. Roedd pob llathen o'r allt serth, garegog, fel milltir. Ond er hynny, ar ôl gadael y rhai a oedd wedi'u hanafu yn y Castell o dan ofal Modryb a Gwen, aethant i nôl un arall. Cyn y bore roedd pedwar o ddynion y llongddrylliad yn gorwedd ar welyau yng Nghastell Gwrtheyrn, yn cael lloches a gofal, a'r môr a fu bron â'u lladd yn rhuthro ac yn curo yn erbyn y creigiau islaw.

Morwyr oedd tri ohonynt, ond teithiwr oedd y llall. Llong o'r Alban oedd hi a dau neu dri o deithwyr ar ei bwrdd. Erbyn y bore roedd y morwyr wedi dod atynt eu hunain, ond roedd y teithiwr wedi anafu ei goes a'i ysgwydd yn ddrwg. Roedd yn methu rhoi ei droed ar lawr, ac roedd Modryb yn ddiflino yn berwi llysiau i'w rhoi'n boeth ar y cyhyrau a oedd wedi chwyddo.

"Ga i wybod pwy ydi'r teulu caredig sydd yn gofalu amdanaf fel hyn?" gofynnodd y dieithryn i Rhys, a oedd yn eistedd wrth ei wely.

"Castell Gwrtheyrn, cartref Huw Fychan, ydi hwn," atebodd Rhys.

"Mi garwn ei weld i geisio diolch iddo am fod mor garedig," meddai'r dyn. "Rhaid i mi fynd oddi yma cyn gynted ag y gallaf."

"Fedrwch chi ddim symud nes y bydd y chwydd wedi mynd i lawr," meddai Modryb a oedd yn digwydd dod i'r ystafell ar y pryd gyda dysglaid o gawl i'r claf.

"Mae'n rhaid i mi," meddai'r dyn gydag ochenaid. "Sut, O, sut bues i mor anffodus ag anafu fy nhroed!"

"Sut y buoch chi mor ffodus â chael eich achub o fedd dyfrllyd?" meddai Modryb yn ddiamynedd. "Be pe baech chi wedi boddi?"

"Eitha gwir," cytunai'r dyn. "Rhaid i mi fod yn dawel. Ond mi hoffwn i gael rhyw air neu ddau efo Huw Fychan, er mwyn ceisio diolch iddo."

"Does dim rhaid i chi ddiolch i neb," atebodd Modryb wrth adael yr ystafell. "Wnaethon ni ddim ond ein dyletswydd," ychwanegodd gan gau'r drws ar ei hôl.

"Mae 'nhad wedi ymuno â byddin Glyn Dŵr ers misoedd," ceisiodd Rhys egluro. "Does neb yng Nghastell Gwrtheyrn ar hyn o bryd ond Modryb a'r genethod a minna."

Daeth rhyw newid rhyfedd dros wyneb y dieithryn pan glywodd enw Glyn Dŵr, a bu'n fud am ennyd. Yn sydyn, gwelai Rhys ei lygaid yn melltennu, ac meddai'n ffyrnig.

"Ho! Mi welaf fy mod wedi bod môr anffodus â disgyn i dŷ un o ddilynwyr y bradwr ffiaidd hwnnw sydd wedi llwyddo i gael nifer o Gymry cwerylgar i'w ddilyn! Y cynllwynwr hwnnw y mae mor gas gennym ei ..."

Cyn iddo allu dweud gair arall roedd Rhys yn gafael fel llew yn ei fraich ddianaf.

"Un gair yn rhagor am ein Harweinydd ac mi fydd yn edifar gennych chi am byth," meddai, a'i waed yn berwi gan ddicter. "Oni bai eich bod chi wedi brifo, mi fyddech yn cael llyfu'r llwch â'r geg a feiddiodd ddefnyddio'r gair a wnaethoch am ein Tywysog. Bradwr, wir! Un peth sy'n siŵr. Mi gewch chi dynnu'ch geiriau yn ôl, brifo neu beidio!"

"Y brad . . ." dechreuodd y dyn eto, ond y munud nesaf roedd dwrn Rhys yn ei wyneb. Ond yn sydyn, cyn i'r ddyrnod ddisgyn, syrthiodd llaw'r bachgen i lawr.

"Na," meddai, a'i lais fel min arf dur. "Na, chaiff neb ddeud bod mab Huw Fychan, a dilynwr Owain Glyn Dŵr, wedi taro dyn sy'n methu taro'n ôl. Ond fedra i ddim anadlu'r un awyr â chi funud yn rhagor. Dewch, dyma'ch clogyn!"

Taflodd glogyn y dyn ar y gwely, ac meddai'n oerllyd, "Mi gaiff Gruffydd y gwas fy helpu i'ch cario i lawr yr allt. Mae'n debyg y cewch chi loches gan rywun yn y Nant, er na wn i ddim gan bwy. Ond mae un peth yn sicr, chaiff neb o elynion Glyn Dŵr, wedi'u hanafu nac yn iach, gysgod yng Nghastell Gwrtheyrn."

Ond ni chymerodd y dyn y sylw lleiaf o'r clogyn.

"Dewch ar unwaith," meddai Rhys yn finiog. "Rhowch hwn am eich ysgwydd. Ond cyn i mi alw ar Gruffydd, mae'n rhaid i chi dynnu eich geiriau yn ôl am ein Tywysog. Mi fydd yn rhaid i chi wneud hynny, doed a ddelo."

Edrychodd y dyn ym myw llygaid Rhys. Sylwodd ar y corff heini a'r llygaid tywyll a'i heriai mor danbaid, ac yn sydyn, torrodd allan i chwerthin yn iach dros y tŷ!

"'Machgen i," meddai o'r diwedd, "mi dynnaf fy ngeiriau'n ôl gyda'r pleser mwyaf! Hir oes i'r Tywysog sydd i ddod â rhyddid yn ôl i'w wlad. Gobeithio y bydd Cymru'n rhydd yn fuan iawn. Hir oes i Owain Glyn Dŵr!"

Pennod 7

Edrychodd Rhys arno'n hurt a syfrdan. Beth oedd ar ben y dyn? Un munud roedd yn cyhoeddi Glyn Dŵr yn fradwr, a'r funud nesaf yn ei alw'n arwr mawr ei genedl! Ai dweud hyn er mwyn cael lloches yng Nghastell Gwrtheyrn oedd ei amcan? Roedd Rhys yn methu'n lân â'i ddeall. Gwenodd y dyn wrth weld penbleth y bachgen.

"Rwyt ti wrth fodd fy nghalon i, fachgen," meddai'n galonnog. "Rydw i'n edmygu dy ddewrder di ac rwy'n gwybod y byddi di'n filwr dewr i Owain Glyn Dŵr, ryw ddiwrnod. Rydw i wedi dy bwyso di yn y glorian, 'machgen i, a doeddet ti ddim yn brin! Dy brofi di roeddwn i. Mae'n anodd iawn dweud y gwahaniaeth rhwng gelyn a chyfaill y dyddiau yma. Mae'n rhaid bod mor gyfrwys â sarff, wel'di. Er bod dy dad wedi ymuno â byddin y Tywysog, roedd yn rhaid i mi fod yn berffaith sicr dy fod dithau hefyd mor deyrngar ag yntau, ac y byddet ti'n gwneud yr hyn rydw i am ofyn i ti ei wneud. Mi wn erbyn hyn y gallaf ymddiried ynot. Ydi'r drws yna wedi'i gau'n sownd?"

Gafaelodd Rhys yn nwrn y drws yn araf, fel pe bai mewn breuddwyd. Pwy oedd y dyn yma a achubwyd o'r môr, a beth oedd ei neges? Pan drodd at y gwely, roedd y dyn wedi codi ar ei eistedd.

"Wel, 'machgen i," meddai, "mi welaf fod ffawd wedi dilyn fy anffawd. Oes perygl i rywun ein clywed ni?" meddai wedyn gan edrych o'i gwmpas.

"Na, does neb yn agos i'r ystafell yma yn unman," meddai Rhys gan ddal i ryfeddu. Eisteddodd eto ar ymyl y gwely.

"Rydw i am ymddiried rhywbeth i ti. Fuaswn i ddim yn ei ymddiried o i neb byw oni bai am fy anffawd," meddai'r dieithryn. "Wnei di gymwynas â mi er mwyn dy dad, er mwyn dy wlad ac er mwyn Owain Glyn Dŵr?"

"Gwnaf," atebodd Rhys heb betruso. "Mi wnaf i unrhyw beth dros y tri. Mi rown fy mywyd drostynt, gyda phleser."

"Rwyt ti wedi profi hynny'n barod," meddai'r dyn. "Mae gen i lythyr dan sêl yma ac mae'n rhaid ei roi yn nwylo Owain Glyn Dŵr, a neb arall, cyn gynted ag y bo modd."

Tynnodd wregys o ledr oddi am ei ganol, o dan ei wisg, ac o'r gwregys, tynnodd lythyr wedi'i selio'n gadarn.

"Dyma fo," meddai. "Er mwyn rhoi hwn yn llaw'r Arweinydd roeddwn i'n teithio o'r Alban yn y llong fach anffodus yna. Glywaist ti sôn am yr Iarll Douglas?"

Ysgydwodd Rhys ei ben. "Naddo," meddai. "Ychydig iawn o hanes y rhyfel wn i. Rwyf heb weld 'nhad na 'mrawd ers misoedd."

"Fuaset ti ddim yn clywed enw Iarll Douglas ynglŷn â'r rhyfel – hyd yn hyn, beth bynnag. Ond efallai y byddi di yn ei glywed ryw ddydd," meddai'r dyn.

Gwibiodd y syniad trwy feddwl Rhys mai yr Iarll ei hun oedd o'i flaen, ond y dyn ei hun a chwalodd y syniad hwnnw. Daeth gwên i'w wyneb.

"Na, nid fi ydi'r Iarll," meddai, fel petai'n darllen meddwl y bachgen. "Cymro glân gloyw ydw i, fel y gweli, ond mae'n rhaid rhoi'r llythyr yma oddi wrth yr Iarll yn llaw Owain Glyn Dŵr, a neb arall, cofia, ar unwaith! Mi wn fod hynny'n waith anodd ac efallai'n waith peryglus hefyd. Pe bawn i'n medru symud, fuaswn i ddim yn breuddwydio gofyn i neb ei wneud.

Ond fy anffawd i yw dy gyfle di, fachgen. Wnei di geisio rhoi hwn i Owain Glyn Dŵr ar unwaith?"

"Gwnaf," meddai Rhys, a thinc o falchder yn ei lais. "Ble ca i hyd iddo?"

"Mae o ar hyn o bryd ym Mhumlumon. Mae newydd ennill buddugoliaeth ar y Fflemings o Sir Benfro." Gwenodd y dieithryn, a siaradodd fel petai'n siarad ag ef ei hun. "Buddugoliaeth ardderchog oedd hi hefyd. Roedd gan y Fflemings fwy na phymtheg mil o filwyr profiadol ac roeddent wedi medru amgylchynu rhyw ddyrnaid o filwyr Glyn Dŵr. Ond roedd dynion Glyn Dŵr yn ymladd, nid yn unig am eu bywydau, ond am ryddid eu cenedl hefyd!" meddai gan droi at y bachgen. "Ac er bod y peth bron yn amhosib, yn wir i ti, dynion Glyn Dŵr enillodd y dydd, a wnaiff y Fflemings byth godi eu pennau eto. Does ryfedd fod y Saeson yn credu bod gan Owain Glyn Dŵr allu goruwchnaturiol."

Roedd Rhys yn gwrando'n astud, a'i galon yn chwyddo gan lawenydd a balchder. Roedd yn methu credu bod ganddo ef ei hun lythyr pwysig i'w roi yn llaw'r Tywysog a oedd yn arwr cenedl – yn llaw Owain Glyn Dŵr, Tywysog Cymru!

"Garech chi i mi ddweud rhywbeth wrth Glyn Dŵr heblaw rhoi'r llythyr iddo?" gofynnodd.

"Mi fydd yn rhaid i ti ddweud rhywbeth cyn y cei di fynd yn agos at Glyn Dŵr," atebodd y dyn. "Pan gyrhaeddi di'r lle, dyma'r arwyddair a fydd yn dy alluogi di i fynd at y Tywysog – 'Yr Alban i'r Adwy'. Wnei di ei gofio? 'Yr Alban i'r Adwy'."

Tynnodd fwcl o'i wisg ac arno dlws crwn. Ar ei ganol, ar gefndir euraid, roedd llew o liw coch tywyll.

Roedd brodwaith gwyn o gwmpas ymyl y tlws a'r tu mewn i'r cylch gallai Rhys weld y geiriau *Vivat Post Funera Virtus*. Deallodd mai arfbais rhywun oedd y tlws a ddaliai'r dieithryn ar gledr ei law.

"Cymer hwn," meddai, "ac os cei di anhawster i fynd heibio'r gwarchodlu, dangos hwn iddyn nhw.

Wyt ti'n cofio'r arwyddair?"

"Yr Alban i'r Adwy," meddai Rhys. "Pryd hoffech chi i mi gychwyn?"

"Heno," meddai'r dieithryn.

Pennod 8

Rhoddodd Rhys y llythyr pwysig mewn cwdyn a'i rwymo am ei wddf o dan ei wisg. Roedd yn rhag-weld y byddai'n cael trafferth fawr i adael Castell Gwrtheyrn ac yn gwybod yn eithaf da y byddai Modryb yn gwrthwynebu'n chwyrn.

"Modryb," meddai, "mae arna i awydd mynd i holi ynghylch 'nhad a Dafydd. Rydym heb gael dim o'u hanes nhw ers tro byd. Wyddon ni ddim a ydyn nhw'n fyw ai peidio, ac efallai y caf glywed tipyn o hanes y rhyfel hefyd."

Gwrandawodd Modryb arno'n syn.

"Wyt ti o'th go, fachgen?" meddai'n chwyrn. "Oes 'na rywbeth wedi amharu ar dy synhwyrau di, dywed? Pam mewn difri wyt ti'n siarad mor ffôl? Rwyt ti'n gwybod yn iawn fod dy dad wedi gadael y lle yma yn dy ofal di, a dyma ti'n mynd yn ddi-hid ac yn meiddio deud yn hy dy fod yn cychwyn ar grwydr a does wybod i ble. Chei di ddim mynd, 'machgen i. Mi wn beth fyddai dy dad yn ei ddeud wrthyt ti, ac rydw inna'n deud yr un peth. Chei di ddim symud o'r fan yma. Rydw i'n dy rybuddio di!"

Ceisiodd Rhys ei orau ymresymu â hi, ond nid oedd dim yn tycio. Doedd dim troi ar Modryb. Roedd Gwen wedi dechrau crio ers meitin, a'r dieithryn yn gwrando'n astud o'i wely trwy ddrws agored yr ystafell nesaf. Safai Luned bengoch fel delw, a'i llygaid glas yn disgleirio fel sêr.

"Rydw i'n mynd, doed a ddelo," meddai Rhys yn gyndyn. "Mae'n ddyletswydd arna i i fynd. Coeliwch fi, Modryb, nid mympwy sydd yn gwneud i mi anufuddhau i chi fel hyn. Mae gen i neges, a honno'n un bwysig. Oes yn wir. Mi ddof yn ôl cyn gynted fyth ag y galla i."

"Dwyt ti ddim yn mynd i gychwyn, 'machgen i, heb sôn am ddod yn ôl," meddai'r hen wraig yn benderfynol. "A sôn am ddyletswydd, wir! Aros gartre i weld bod y gweision yn rhoi min ar y pladuriau ydi dy ddyletswydd di, a gwneud yn siŵr bod yr anifeiliaid yn cael chwarae teg. Dos i dy wely, da chdi, heb wneud mwy o lol. Mi fyddi di wedi dod atat dy hun erbyn y bore."

Ni ddywedodd Rhys air arall, ond esgus ei fod yn ufuddhau. Tynnodd Modryb y bar haearn mawr ar draws y drws ac aeth y teulu i gyd i'r gwely. Pan oedd Rhys yn meddwl fod pawb yn cysgu, cododd o'i wely'n ddistaw bach ac agorodd far y drws. Roedd ei agor heb iddo wichian yn anodd iawn, ond llwyddodd i wneud hynny heb ddeffro neb. Yn fuan iawn roedd wedi llithro allan i'r nos.

Roedd hi'n noson olau leuad a'r awyr yn lamp o sêr. Noson bur wahanol i noson y storm. Nid oedd chwa o wynt i'w theimlo, a'r unig sŵn oedd su'r don yn torri'n gysglyd ar y traeth islaw, ac ambell ddafad yn brefu ar lechweddau'r Eifl.

Cerddodd Rhys yn gyflym er mwyn cael mynd mor bell

ag oedd modd o Gastell Gwrtheyrn cyn i'r wawr dorri. Aeth ar hyd ffordd y pererinion, heibio i Ffynnon Aelhaearn ac ymlaen i Ffynnon Beuno yng Nghlynnog Fawr. Ond yn hytrach na dilyn y ffordd am Gaernarfon, aeth ar draws gwlad i gyfeiriad Beddgelert. Cerddai trwy dawelwch y dolydd, heb weld unrhyw arwydd o neb byw, ac roedd yn gallu clywed sŵn rhaeadrau o'r pellterau unig. Gwelodd y wawr yn torri, a'r haul yn codi'n raddol dros gopaon y mynyddoedd, gan daflu ei olau dros gaeau a lleiniau cul o gnydau grawn, a phenderfynodd na fyddai'n gorffwys nes iddo gyrraedd priordy Beddgelert.

Roedd yn gwybod bod Beddgelert yn bell o'i ffordd i wersyll Glyn Dŵr, ond gwyddai hefyd fod y priordy yn rhoi croeso i bob teithiwr a bod yno ystafell arbennig ar eu cyfer, fel ym mhob mynachlog arall.

Ar ôl cerdded trwy gorsydd grugog a gweundiroedd brwynog, daeth at dir anial dan goed, ac wrth ei groesi, gwnaeth i sawl hydd a gafr wyllt ffoi i le diogel. Ar ffin y goedwig daeth i dir wedi'i ffermio a gwrychoedd wedi'u plethu o gwmpas y meysydd a'r gweirgloddiau, a gwyddai Rhys ei fod yn agosáu at briordy Beddgelert.

Cafodd ofal a phryd o fwyd ac ystafell i orffwys ynddi dros nos gan y Brodyr Llwyd. Bore drannoeth aeth yn ei flaen ar ei daith, gan droi ei wyneb tua'r de, ac ar ôl croesi'r tiroedd pori a'r caeau eang o wenith a oedd yn perthyn i'r Abaty, daeth at fawndir gwlyb. Llithrodd yn aml i bwll dirgel, du a oedd yn cuddio yn y corsydd hyll a thywyll. Roedd milltir yma'n anoddach i'w theithio na deg mewn mannau eraill.

Roedd hi'n ddiwrnod tawel, digynnwrf, ac arhosodd Rhys

am ennyd i orffwys, a'i gefn yn erbyn un o'r teisi mawn a oedd yn britho'r corsydd. Wrth edrych yn ôl dros y mawnogydd a'r erwau unig, sylwodd ar fachgen yn ymdrechu'n galed i gerdded trwy'r tir lleidiog ar ei ôl. Meddyliodd Rhys mai croesi'r corsydd ar drywydd rhyw anifail yr oedd o, ac ar ôl ei wylio am ychydig, aeth yn ei flaen. Ar ôl cerdded rhyw filltir neu ddwy, trodd ei ben i edrych eto, ac er ei syndod roedd y bachgen yn dal i'w ddilyn.

Ar ôl teithio am gryn amser daeth at ffermdy ar ochr y ffordd a'r mwg yn codi'n ddioglyd o'i simnai. Roedd Rhys yn bur flinedig erbyn hyn a phenderfynodd droi i mewn i orffwyso ac yn ôl yr arfer yr adeg honno, i gael pryd o fwyd.

"Eistedd yn y fan yna," meddai gŵr y tŷ wrtho, gan bwyntio at y sgiw uchel ar un ochr i'r aelwyd lle llosgai tanllwyth o dân mawn siriol. Ufuddhaodd Rhys, a rhoddodd y wraig bryd o fwyd o'i flaen. Tra oedd yn bwyta, holodd Rhys hwy am y ffordd i Bumlumon.

"Pumlumon, ai e?" meddai'r gŵr, gan grafu ei wyneb barfog yn fyfyriol. "Oni bai dy fod di'n rhy ifanc mi fuaswn yn gofyn i ti ai mynd i ymuno â byddin Owain Glyn Dŵr yr wyt ti. Maen nhw'n deud i mi fod ugeiniau'n ymuno ag o bob dydd, a bod Arglwydd Grey o Ruthun wrthi'n ceisio codi byddin gref i fynd yn ei erbyn."

"Dydw i'n gwybod dim byd am hynny. Fyddwn ni byth yn clywed dim sôn am y rhyfel," meddai Rhys, a cheisiodd droi'r stori. Rhoddodd ei law yn ei fynwes a chyffyrddodd â'r cwdyn gwerthfawr a hongiai am ei wddw, ac â'r bwcl a oedd y tu mewn i'w wisg. Beth pe bai'r dyn yn gwybod bod ganddo neges bwysig i Owain Glyn Dŵr ei hun!

Ar ôl diolch am y pryd bwyd a ffarwelio â'r ffermwr a'i wraig, aeth Rhys yn ei flaen ar hyd llwybrau unig. Nid oedd wedi gweld y bachgen ers pan aeth i mewn i'r ffermdy, a daeth i'r casgliad ei fod yn un o fechgyn Beddgelert a oedd yn mynd ar ryw neges i bentref arall. Cerddodd ymlaen am amser maith heb weld yr un enaid byw, na chlywed dim sŵn ond cri'r gylfinir ar y rhostir.

Erbyn hyn, roedd wedi cyrraedd ffiniau coedwig ac roedd yn gwybod y byddai'n rhaid iddo fynd drwyddi. Byddai hyn yn waith anodd yn y dydd, heb sôn am y nos, gan fod tyllau dwfn yn llawn dŵr, a ffosydd o laid ynddi ym mhob man. Daeth ar draws abaty yng nghanol y goedwig ac eiddew trwchus wedi'i orchuddio. Penderfynodd Rhys fynd i mewn iddo a chysgu tan y bore. Roedd yn noson olau, dawel, a lleuad lawn yn disgleirio'n llachar yn yr awyr. Ar ôl golchi ei draed poenus yn y ffrwd fechan a oedd yn rhedeg heibio talcen yr adeilad, casglodd swp o redyn a'i roi ar lawr yng nghornel yr hen furddun. Wrth iddo orwedd ar ei wely o redyn, gallai weld y sêr yn dod i'r golwg fesul un ac un drwy nenfwd tyllog yr adfail. Roedd yn gallu clywed cri'r tylluanod yn yr hen glochdy a oedd bellach yn gysgod hefyd i'r ystlumod a'r colomennod gwyllt. Cyn cysgu, gafaelodd yn y cwdyn er mwyn bod yn siŵr fod y llythyr a roddwyd iddo'n ddiogel. Tynnodd ei glogyn yn dynn amdano, a chyn bo hir roedd yn cysgu'n drwm.

Pan ddeffrodd, roedd yn meddwl i ddechrau ei fod yng Nghastell Gwrtheyrn. Ond yn fuan daeth y cwbl i'w gof, a gwelodd ei fod yn gorwedd ar wely o redyn a gwawr y bore'n olau arian ar yr eiddew a'r mân lwyni o'i gwmpas.

Edrychodd yn gysglyd ar yr hen glochdy a gallai glywed siffrwd yr adar yn y tyfiant trwchus. Gafaelodd yn y cwdyn a oedd yn rhwym wrth ei wddw, yr un roedd y llythyr pwysig i Owain Glyn Dŵr ynddo. Oedd, roedd y cwdyn yn rhwym wrth ei wddw, y tu mewn i'w wisg. Ond roedd yn wag!

Roedd y llythyr wedi mynd!

Pennod 9

Neidiodd Rhys ar ei draed fel pe bai wedi'i drywanu, ac aeth ias o ddychryn drwyddo. Trodd y cwdyn y tu chwith allan gyda dwylo crynedig, ac ysgydwodd ei glogyn rhag ofn bod y llythyr wedi digwydd disgyn iddo. Tynnodd ei wisg oddi amdano yn drwsgl a ffwdanus, ond nid oedd sôn am y llythyr yn unman, a theimlodd ei waed yn rhewi yn ei wythiennau.

Byddai'n well o lawer ganddo golli ei fywyd na cholli'r llythyr. Nid oedd ei fywyd o fawr werth i neb, ond pwy allai ddweud beth fyddai'r canlyniadau pe bai'r llythyr yn disgyn i ddwylo estron! Teimlai Rhys y chwys oer yn rhedeg i lawr ei dalcen, a'i galon yn curo'n wyllt a direol. Roedd rhyw lwmp yn ei wddf ac roedd yn methu llyncu ei boer. Beth fyddai'n dod ohono? Beth oedd o'n mynd i'w wneud?

Dechreuodd chwalu ac ysgwyd y rhedyn a'i daenu'n wyllt ar hyd y llawr. Rhaid ei fod yn rhywle! Chwiliodd o gwmpas ym mhobman, ond nid oedd y llythyr i'w weld yn unman. Nid oedd yn bosibl ei fod wedi'i golli ar y daith gan mai'r peth diwethaf a wnaeth cyn cysgu y noson cynt oedd gweld bod y llythyr yn ddiogel. Roedd wedi teimlo'r ymylon caled trwy'r cwdyn ac wedi rhedeg ei fys dros ffurf y sêl drom a oedd arno. Roedd y bwcl yr oedd y dieithryn wedi'i roi iddo yn ddiogel y tu mewn i'w wisg. Ond petai hwnnw wedi mynd, ni fyddai'n gwneud llawer o wahaniaeth. Y llythyr oedd yn bwysig, ac yr oedd hwnnw wedi mynd i rywle yn ystod y nos. Ond i ble?

Meddyliodd yn sydyn am y bachgen a oedd wedi'i ddilyn o Feddgelert. Tybed a oedd gan hwnnw rywbeth i'w wneud â'r llythyr? Ond rywsut, nid oedd yn gallu credu hynny. Yn sydyn, daeth ofn mawr arno. Tybed a oedd ysbrydion yn y goedwig o'i gwmpas? Roedd rhai'n dweud bod ysbryd yng Nghastell Gwrtheyrn, ond nid oedd Rhys ei hun wedi'i weld. Byddai Modryb Modlen a Mali'r Bragdy yn dweud eu bod wedi gweld olwyn o dân uwchben bedd y bradwr, Gwrtheyrn, ac roedd Cynwal Garn wedi marw'n sydyn ar ôl gweld rhywbeth nad oedd yn gallu sôn wrth neb amdano. Roedd Rhys yn berffaith sicr fod ysbrydion yn bod.

Roedd yn cofio hefyd iddo glywed ei dad yn dweud dan chwerthin fod y Saeson yn sicr bod Owain Glyn Dŵr yn ennill ei frwydrau trwy swynion. Dyna'r unig ffordd, medden nhw, roedd yn bosibl iddo gael y gorau arnynt gyda dim ond rhyw ddyrnaid o ddynion. Yn wir, roedd hyd yn oed y stormydd fel petaent yn dod ar ei alwad.

Tybed a oedd rhywbeth cyfrin, nad oedd neb yn gallu ei ddeall, yn y goedwig wedi gwneud i'r llythyr ddiflannu? Syrthiodd ei lygaid ar nyth yn yr hen glochdy. Roedd yn cofio iddo glywed am bioden unwaith yn cipio modrwy ac yn ei chario i'w nyth. Tybed a oedd un o'r adar a oedd yn nythu yn y clochdy wedi cael gafael yn y llythyr ac wedi'i gario i'w nyth?

Cyn gynted ag y daeth y syniad i'w feddwl, dringodd i fyny drwy'r eiddew trwchus, gan anafu ei ddwylo yng ngherrig miniog yr adeilad. Ymbalfalodd ymysg y nythod, a'r adar yn clochdar ac yn trydar eu dicter wrth ei weld yn ymyrryd â'u cartrefi. Ond nid oedd golwg o'r llythyr yn unman.

Nid oedd yn gwybod beth i'w wneud nag i ble i droi. Yn ei ofid, taflodd ei hun i lawr ar y glaswellt y tu allan i'r murddun.

Gorweddodd yno'n hollol ddiymadferth, fel petai wedi'i barlysu. Dringai'r haul yn uwch yn yr awyr uwch ei ben a chododd awel fain, gan suo'r dail yn y coed. Roedd hi'n teimlo fel pe bai'n oerach o lawer na phan ddeffrodd. Yn sydyn, clywodd lais yn galw ei enw.

"Rhys! Rhys!"

Neidiodd ar ei draed yn ffwdanus a hurt, a gwelodd fachgen â gwallt coch, cyrliog yn sefyll ychydig lathenni oddi wrtho.

"Ai ti fu'n fy nilyn i?" meddai Rhys yn gynhyrfus, gan neidio tuag at y bachgen a gafael yn ffyrnig yn ei fraich. "Ti ydi'r lleidr fuo …"

Safodd yn sydyn.

"Luned!" meddai, wedi'i syfrdanu. "Luned! O ble doist ti? Pam wyt ti wedi gwisgo amdanat fel bachgen? Ti sydd wedi bod yn fy nilyn i?"

"Rydw i wedi dy ddilyn yr holl ffordd o Gastell Gwrtheyrn," meddai hithau. "Roeddwn i'n gwybod, pe bawn i'n dangos fy hun, y byddet ti'n gwneud i mi droi'n ôl ac na fyddwn i byth yn cael dod efo ti."

"Eitha gwir," meddai yntau. "Ond pam ddaethost ti, Luned? Rydw i ar daith beryglus, cofia."

"Roeddwn i'n gwybod hynny," meddai hithau, "ac yn gwybod hefyd y byddai'n haws i mi deithio fel bachgen nag fel geneth. Felly mi gefais i fenthyg dy ddillad. Wnei di faddau i mi, Rhys?"

"Gwnaf, wrth gwrs," meddai yntau. "Ond rydw i'n methu deall sut wnaeth Modryb adael i ti ddod. Rwyt ti'n gwybod pa mor anfodlon oedd hi i mi ddod, heb sôn amdanat ti. Wnest ti ddianc heb yn wybod iddi hi a Gwen?"

"Na, mi ddeudais i wrth Gwen," meddai hithau. "Ac O, roedd arna i ofn i ti weld fy mod yn dy ddilyn di. Ond wnest ti ddim."

"O do," meddai yntau. "Mi welais ryw fachgen yn fy nilyn i ar ôl i mi adael Beddgelert, ond wnes i ddim breuddwydio mai ti oedd o."

Yna, cofiodd am yr hyn a ddigwyddodd. Aeth y braw a'r siom fel ton dros ei feddwl.

"O, Luned," meddai, a'i galon bron ar dorri, "dydw i ddim yn gwybod beth i'w wneud! Nac ydw yn wir! Mae rhywbeth ofnadwy wedi digwydd, a Duw yn unig a ŵyr be wna i."

"Be, Rhys?" gofynnodd hithau.

Petrusodd am ychydig, ac yna byrlymodd yr hanes allan.

"Cefais lythyr pwysig i'w roi yn llaw Owain Glyn Dŵr ei hun. Dyna pam y cychwynnais i ar y daith yma. Roeddwn i i fod i'w roi i'r Tywysog ei hun, ac i neb arall ac O, Luned, rydw i wedi'i golli! Meddylia! Rydw i wedi colli llythyr pwysig a roddwyd yn fy ngofal – Duw a ŵyr sut! Ac efallai fod tynged fy ngwlad yn dibynnu arno. Pwy sy'n gwybod? Ond mae'r llythyr wedi mynd! Dyna i ti sut fab sydd gan Huw Fychan! Dyna i ti sut wasanaeth rwyf fi yn ei roi i Owain Glyn Dŵr!

Meddylia, Luned, meddylia fod mab Huw Fychan wedi bod mor esgeulus. Dydw i ddim yn haeddu'r enw!"

Trodd i edrych ar yr eneth. "Luned, be sy arnat ti?"

Roedd Luned yn chwerthin.

"Paid â beio gormod arnat ti dy hun," meddai, ac estynnodd rywbeth allan o'r gwregys roedd hi'n ei wisgo o dan ei chlogyn.

"Dyma'r llythyr i ti," meddai, "a'r sêl heb ei hagor!"

Pennod 10

Rhuthrodd Rhys am y llythyr a'i wasgu at ei fynwes.

"Luned! Ti gymerodd o? Does bosib mai ti achosodd y fath boen i mi?" meddai a'i wefusau'n crynu. "Wna i byth faddau i ti am wneud y fath beth!"

"Aros funud bach, Rhys," meddai Luned, "nid fi ddaru ddwyn llythyr Owain Glyn Dŵr, ond fi lwyddodd i'w gael o yn ôl i ti."

"Yn ôl? Yn ôl o ble? Dydw i ddim yn deall peth fel hyn," meddai Rhys yn amheus. "Pwy ar y ddaear oedd yn gwybod bod y llythyr gen i? A phwy yn y goedwig yma fyddai'n gallu ei gymryd o'r cwdyn a hwnnw'n hongian wrth fy ngwddw wrth i mi gysgu?"

"Gwrando," meddai Luned yn dawel. "Wyt ti'n cofio mynd i ffermdy ar ymyl y ffordd i gael pryd o fwyd ddoe?"

"Ydw, wrth gwrs," meddai yntau. "Ond welais i mohonot ti, chwaith. Ble roeddet ti'r adeg honno?"

"Roeddwn i'n eistedd y tu ôl i'r gwrych yn aros i ti ddod allan," meddai hithau. "Ar ôl i mi dy weld yn dod mi arhosais am dipyn er mwyn iti fynd o 'mlaen i. Pan oeddet ti bron â mynd o'r golwg a minnau ar fin dy ddilyn di, dyma ŵr y tŷ yn dod allan, fel petai o'n mynd ar daith, â phastwn mawr yn ei law. Mi adewais iddo fynd ychydig rhag ofn iddo fy ngweld i. Er fy syndod, mi welais ei fod yn dy ddilyn di ac yn cuddio bob tro roedd yn meddwl dy fod di yn edrych dros dy ysgwydd."

"Peth rhyfedd na fyddwn i wedi sylwi," meddai Rhys. "Rydw i'n cofio i mi droi yn ôl fwy nag unwaith i weld a oedd y bachgen a oedd wedi fy nilyn o Feddgelert yn dal i 'nilyn i. Ychydig roeddwn i'n meddwl ar y pryd mai ti oedd hwnnw, Luned."

"Ond doedd dim modd iti weld y dyn. Roedd o'n cuddio y tu ôl i'r llwyni ac yn cysgodi ym môn y cloddiau. Dyna wnaeth i mi ei amau."

Tawodd Luned am funud. Ond roedd Rhys ar dân eisiau clywed gweddill y stori. "Dos ymlaen efo'r hanes, Luned," meddai'n awyddus. "Be ddigwyddodd wedyn?"

"Mi fuodd o'n dy ddilyn di felly am oriau," meddai hithau. "A minna'n ei ddilyn yntau! O'r diwedd mi ddechreuodd nosi ac mi ddaethost ti i'r goedwig yma. Mae'n debyg bod y dyn wedi deall dy fod am aros yn yr hen furddun yma dros nos ac mi aeth i guddio mewn ffos yn ymyl. O'r fan honno roedd yn gallu dy weld di heb i ti ei weld yntau."

"Ond ble oeddet ti?"

"O, mi ddringais i'n ddistaw bach i ben coeden," meddai hithau. "Mi fedrwn i gadw llygad arnat ti ac arno yntau o'r fan honno."

"I ben coeden?" meddai Rhys yn araf a'i lygaid arni. "I ben coeden? A hynny yn y nos!" Roedd yn methu credu'r peth.

"Ie," meddai hithau'n ddidaro. "Ac ymhen hir a hwyr, dyma fo'n dechrau cerdded yn llechwraidd at y murddun ac yn mynd i mewn. Roedd y lleuad bron yn llawn ac roedd hi'n olau fel dydd. Roedd hi'n ddigon hawdd ei weld o."

"Gwarchod pawb! Yr holl berygl o 'nghwmpas i a minna'n cysgu'n sownd," meddai Rhys. Aeth ias o ddychryn drwyddo wrth iddo wrando'n astud ar yr eneth yn adrodd yr hanes. "Dos yn dy flaen, Luned," meddai. "Be ddigwyddodd wedyn?"

"Wel, fel y gelli di feddwl, mi ddychrynais am fy mywyd pan welais y dyn yn mynd i mewn atat ti yn y murddun. Roedd arna i ofn iddo fo dy ladd di. Mi ddes i lawr o ben y goeden a rhedeg ar flaenau fy nhraed at yr hen adeilad yma."

"Roeddet ti'n mentro'n arw, Luned," meddai Rhys.

"Oeddwn. Rydw i'n gweld hynny rŵan. Ond wnes i ddim aros i feddwl ar y pryd, a dim ond cael a chael oedd hi i mi beidio â mynd yn erbyn y dyn. Roedd o'n dod allan i 'nghyfarfod i a rhywbeth gwyn, hirgul, fel llythyr yn ei law. Mae'n dda bod y mieri yma wrth law. Mi fedrais i guddio y tu ôl i'r rhain."

"Beth pe bai wedi dy weld?"

"Wnaeth o ddim," meddai hithau.

"Wyddost ti beth," aeth Rhys yn ei flaen, "mae'n siŵr fy mod i wedi cysgu'n drwm iawn i beidio â deffro pan oedd o'n bodio am y llythyr."

"Roeddet ti wedi blino." meddai Luned. "Wel i ti, mi welais ar unwaith beth oedd wedi digwydd ac ar ôl i mi sbio arnat ti, a gweld nad oedd y dyn wedi gwneud dim i ti na hyd yn oed dy ddeffro, dyma fi'n penderfynu ei ddilyn i'w gartre. Doedd hynny ddim yn waith anodd yng ngolau'r lleuad."

Edrychodd Rhys arni gydag edmygedd.

"Welais i neb mor ddewr â ti, Luned," meddai'n dawel. "Wn i ddim pryd y byddaf yn talu i ti am hyn."

"Paid â chyboli, Rhys." meddai hithau. "Ond os oes arnat ti eisiau talu i mi, byddi di'n gallu gwneud hynny trwy adael i mi ddod efo chdi at Owain Glyn Dŵr. Mi fydd dau yn well nag un ar neges fel hyn."

"Mi fyddaf yn falch o dy gwmni," atebodd Rhys. "Ond gad i mi glywed sut y cefaist ti'r llythyr yn ôl. Dyna sydd yn bwysig."

"Dyma i ti yn union sut," meddai Luned. "Pan gyrhaeddodd y dyn gartre, roedd y drws yn llydan agored ac aeth yntau'n syth i mewn heb drafferthu ei gau ar ei ôl, diolch byth. Llwyddais i lithro i mewn ar ei ôl ar flaenau fy nhraed a chuddio y tu ôl i'r sgiw gefn uchel a oedd wrth ymyl yr aelwyd. Doedd dim mymryn o olau yn y tŷ, dim ond golau'r lleuad oedd yn dod i mewn trwy'r ffenest fach a thrwy'r drws. Ond roedd yn ddigon i mi fedru gweld cwpwrdd mawr yn y wal y tu ôl i'r sgiw, ac mi lithrais i i mewn iddo."

"Roeddet ti'n peryglu dy fywyd wrth wneud y fath beth," meddai Rhys.

"Roedd yn dda 'mod i wedi mynd iddo, beth bynnag," meddai Luned gan chwerthin. "Y funud nesa, dyma'r dyn yn goleuo lamp a oedd yn hongian o'r to ac yn galw'n uchel ar y wraig. Mi ddaeth honno o ystafell arall a heibio i'r sgiw lle roeddwn i wedi bod yn cuddio. Beca oedd ei henw hi.

'Gefaist ti rywbeth?' gofynnodd honno.

'Do,' meddai yntau. 'Do, mi wyddwn yn iawn fod gan y bachgen yna rywbeth o dan ei glogyn, a hwnnw'n bwysig hefyd, am ei fod yn taro'i law ar ei frest mor aml wrth iddo fwyta. Roeddwn i'n gwybod mai neges i Glyn Dŵr oedd ganddo fo am ei fod yn holi'r ffordd i Bumlumon. Llythyr oedd ganddo fo. Dyma fo ar y bwrdd.'

Gafaelodd y wraig yn y llythyr. 'Trueni na fuasen ni'n medru darllen,' meddai. 'Ond mi fyddai'n well efallai mynd ag o i'r Arglwydd Grey a'r sêl heb ei thorri.'

'Byddai,' meddai ei gŵr. 'Mi af i ag o i Ruthun heddiw nesaf. Mae'r wawr ar dorri ac rydw i am orffwys am ryw awr neu ddwy cyn cychwyn. Rydw i wedi cerdded milltiroedd ar ôl y llythyr 'ma.'

'Mi fydd yn werth y drafferth,' meddai'r wraig. 'Mi gawn ni bris fferm ardderchog gan yr Arglwydd Grey amdano. Efallai mai'r llythyr yma a ddaw â'r dyn Owain Glyn Dŵr 'na i'r ddalfa. Cau'r drws a thyrd i orffwys am dipyn.'"

"Ac mi aeth y ddau i'w gwelyau?"

"Do. Roedden nhw wedi gadael y llythyr ar y bwrdd. Pan feddyliais i eu bod nhw'n cysgu, mi lithrais allan o'r cwpwrdd fel llygoden a chipio'r llythyr ac anelu am y drws. Ond roedd hi'n anodd ei agor a phan oeddwn i'n tynnu'r bar yn ôl mi roddodd wich ofnadwy. Dyma'r wraig yn gweiddi o'r gwely, 'Coda! Coda! Mae rhywun yn agor y drws! Y llythyr! Y llythyr!'

Yn fy nychryn, mi dynnais i'r bar rhydlyd â fy holl nerth ac mi agorodd y drws. Allan â fi fel y gwynt a'r dyn yn dynn wrth fy sawdl."

"Ond ddaliodd o mohonot ti," meddai Rhys. "Rydw i wedi gweld digon arnat ti'n rhedeg i fyny ac i lawr y llethrau yn Nant Gwrtheyrn a does 'na ddim llawer a all gael y blaen arnat ti!"

"Na," meddai hithau gan wenu. "Roedd o'n dew ac mi ges y blaen arno fo'n fuan iawn. Mi neidiais dros y gwrychoedd, y cloddiau a'r camfeydd fel ewig, a dyma fi'n ôl â'r llythyr yn saff i ti."

"Wna i byth anghofio hyn," meddai Rhys. "Luned," meddai wedyn, gan neidio ar ei draed yn sydyn, "gad i ni fynd o'r hen goedwig 'ma ar unwaith, rhag ofn i'r dyn yna gael gafael ar rai o elynion Glyn Dŵr i'w helpu, a'n dilyn ni i'r fan yma. Tyrd!"

Cerddodd y ddau'n gyflym allan o'r goedwig ac ar draws dir gwastad diddiwedd, a thrwy dir â thyddynnod yma ac acw yng nghanol caeau ceirch a rhyg a chorsydd. O'r diwedd, draw yn y pellter, roeddent yn gallu gweld copaon mynyddoedd Pumlumon yn codi'n rhes hir ac uchel rhyngddynt a'r awyr.

Pumlumon! Yno roedd gwersyll y Tywysog a gododd faner Cymru o'r llwch a'i gosod i chwifio ar bennau'r mynyddoedd!

Pennod 11

Teimlodd Rhys a Luned wefr wrth weld y mynyddoedd. Roedd ganddynt filltiroedd eto i'w teithio, ond roedd Rhys yn teimlo'n hapusach o lawer ar ôl cael cwmni'r eneth. Roedd yn haws cerdded dan siarad ac nid oedd neb yn gallu eu dilyn bellach heb i Luned ei weld. Roedd yn wyliwr ardderchog. Ac roedd y mynyddoedd yn dod yn nes ac yn nes o hyd.

Roedd rhes o goed trwchus rhyngddynt a throed y mynydd, a gwelodd Rhys fod Luned yn crychu ei haeliau ac yn craffu'n ddyfal ar y goedwig.

"Rhys," meddai'n sydyn, "wyt ti'n gallu gweld rhywbeth yn symud yn y goedwig acw? Oes modd i ni ei hosgoi hi, tybed?"

"Wn i ddim. Na, sbia ar yr afon 'na. Fedrwn ni byth groesi honna heb fynd filltiroedd o'n ffordd. Mae'n rhaid croesi'r goedwig." Edrychodd Rhys yn fanwl ar y coed. "Wela i ddim yn symud yn unlle. Mae'n siŵr dy fod di'n dychmygu," meddai, a'i lygaid ar y goedwig o hyd.

"Gad i ni ei hosgoi hi, p'run bynnag," dywedodd Luned yn daer.

Prin bod y geiriau allan o'i cheg, roedd y coed fel pe bai'n arllwys marchogion, a'r funud nesaf rhuthrodd torf o ddynion llydan, cryf tuag atynt. Wrth iddynt agosáu, roeddent yn gallu clywed milwr a oedd ar y blaen i'r lleill yn chwerthin.

"Plant ydyn nhw, wedi'r cwbl," meddai.

Trodd y rhan fwyaf ohonynt yn ôl i'r coed, ac ni fyddai neb, heb lygaid craff iawn, yn gwybod eu bod yno. Roeddent fel pe baent wedi mynd yn un â'r goedwig.

"Plant neu beidio," meddai un marchog wrth y llall, "rhaid cael gwybod eu neges. Mae gan blant lygaid craff, a does dim lle i ysbiwyr yng nghyffiniau Pumlumon." Cyflymodd y swyddog ymlaen i'w cyfarfod.

"Pwy ydach chi?" holodd. "Beth sydd arnoch chi ei eisio yma?"

"Dau fachgen eisio siarad â'r Tywysog," atebodd Luned ar unwaith.

Chwerthin wnaeth y swyddog. "Dos yn ôl i Blas Crafnant, 'machgen i," meddai ar ôl craffu u tipyn arni. "Mi wn i fod dy hil di'n deyrngar i Glyn Dŵr, ac mi wn i hefyd y byddai llawer o blant fel chithau'n hoffi cael gweld eu harwr. Ond dydi hynny ddim yn bosibl. Ewch yn ôl cyn gynted ag y medrwch chi."

"Mae'n rhaid i mi gael ei weld," meddai Rhys. "Mae gen i neges bwysig iddo."

"Oho! Pwy wyt ti felly,?" meddai'r swyddog ag ychydig o watwar yn ei lais. "Wyt tithau hefyd yn perthyn i bennau coch Crafnant?"

"Mab Huw Fychan o Nant Gwrtheyrn ydw i," meddai Rhys. "Mae fy nhad ym Mhumlumon efo'n Harweinydd."

"O, felly wir," meddai'r swyddog. "Wel, dos yn ôl i Nant Gwrtheyrn, ble bynnag mae'r fan honno, a phaid byth â dod yn agos i wersyll milwrol eto, rhag ofn i'r saethyddion wneud niwed i ti. Ewch adre eich dau cyn gynted ag y medrwch chi."

Tynnodd Rhys y bwcl o'i wisg a dangosodd yr arfbais i'r swyddog. "Yn wir, mae gen i neges bwysig i'r Tywysog," meddai.

Edrychodd y swyddog ar yr arwyddlun mewn penbleth.

"Ewch yn eich blaen, felly," meddai o'r diwedd. "Mae'r goedwig yn rhydd i chi ei chroesi. Ond wrth i chi fynd yn eich blaenau, mi gewch weld nad yw cael neges drwodd i Bumlumon yn beth hawdd."

Aeth y ddau ymlaen drwy'r coed, ac er eu syndod, nid oedd neb i'w weld yno. Ond roeddent yn gwybod yn iawn fod llygaid craff milwyr yn gwylio pawb a phopeth a fyddai'n dod yn agos i'r mynyddoedd.

"Dyna i ti beth rhyfedd. Doedd neb i'w weld na'i glywed yn y goedwig yma, ac eto mi welaist fel finnau fel yr aeth y milwyr i mewn iddi," meddai Luned. "Mi ddywedodd y dyn wrthyf am fynd yn ôl i rywle. I ble? Wyt ti'n cofio?"

"Wn i ddim. I ryw blas yn rhywle," atebodd Rhys. "Mae'n siŵr ei fod wedi dy gamgymryd am rywun."

"Fy nghamgymryd am ryw fachgen o rywle," chwarddodd Luned. "Sbia, Rhys. Dyma farchogion eto! Ydi'r rhain am geisio ein rhwystro ni hefyd?"

Ni sylwodd y milwyr hyn fawr arnynt, fodd bynnag. Roeddent yn tybio bod popeth yn iawn os oeddent newydd ddod trwy'r goedwig. Edrychodd ambell un yn amheus arnynt, ond wnaeth neb geisio'u holi. Wrth iddynt agosáu at ben eu taith roedd rhywun yn dod i'w cyfarfod neu'n mynd heibio iddynt yn barhaus. Ond ni cheisiodd neb eu hatal. Sylwodd ambell farchog ar ben coch, cyrliog Luned a dweud rhywbeth wrth un arall amdani.

Daethant yn nes, nes at waelod y mynydd ac yn y man dyma filwr â gwaywffon yn ei law yn dod atynt. "Pwy ydach chi, a beth yw eich neges?" gofynnodd iddynt yn awdurdodol.

"Mae gen i neges bwysig i Owain Glyn Dŵr," meddai Rhys.

"Mae'n amlwg fod gennyt ryw neges, neu fuaset ti byth wedi cyrraedd yma," meddai'r milwr. "Beth yw'r arwyddair?"

"Yr Alban i'r Adwy," atebodd Rhys ar unwaith.

"Gwarchod pawb!" meddai'r milwr. "Ble cest ti'r arwyddair yna, fachgen? Nid dyna arwyddair y dydd. Ond aros funud bach."

Aeth y gwyliwr ychydig bellter oddi yno, a daeth yn ei ôl â swyddog yn ei ddilyn. "Pwy anfonodd di, fachgen?" gofynnodd y swyddog yn gwta.

Yn lle ei ateb, dangosodd Rhys yr arfbais iddo. Edrychodd y swyddog yn fud ar y bathodyn. Yna chwibanodd ei syndod.

"Beth ddywedaist ti oedd yr arwyddair?" meddai.

"Yr Alban i'r Adwy," meddai Rhys eto.

"Myn Mair!" meddai'r swyddog gan godi ei ysgwyddau'n gwta. "Os mai dyma ddull yr Alban o anfon negesau at dywysogion, rhag eu cywilydd nhw! Nid gwaith i blant yw peth fel hyn! Pwy wyt ti, fachgen?"

"Huw Fychan o Gastell Gwrtheyrn yw fy nhad, ac mae yma ym Mhumlumon gyda'r Tywysog," atebodd Rhys.

"Wel, efallai fod yna reswm mewn ymddiried y neges i ti, wedi'r cwbl," meddai'r swyddog. "Nid fy ngwaith i ydi beirniadu negeseuwyr, yn sicr! Does dim angen gofyn pwy wyt ti," meddai gan droi at Luned. "Mae dy ben cyrliog, fflamgoch a dy lygaid glas yn dy gyhoeddi i'r byd. Mab Caradog ab Merfyn Goch o Grafnant, onidê?"

Ysgydwodd Luned ei phen yn bendant. "Na, o Nant Gwrtheyrn rydw i'n dŵad," meddai, "ac enw fy nhad oedd Dafydd Llwyd."

Chwarddodd y swyddog. "Ha!" meddai'n gellweirus. "Mi allwn ddeud pa gelwydd fynnwn ni adeg rhyfel, mae'n debyg. Ond gwaith pur anodd fydd i ti wadu dy deulu, 'machgen i. Rwyt ti'n rhy debyg iddyn nhw Roeddwn yn adnabod dy dad yn dda flynyddoedd yn ôl, ond wyddwn i ddim tan rŵan fod ganddo fo fab. Mae Rhys Gethin, ein cadfridog, yn dod o'r un ardal â dy dad, o Nant Conwy. Wrth gwrs, nid yw dy gartref di yn y dyffryn. Mae Crafnant yn uchel yn y mynyddoedd. Dewch y ffordd yma, eich dau."

Arweiniodd hwy, dan siarad, i fyny'r mynydd, lle roedd milwyr yn gwersylla ym mhob cuddfan a hafn. Aeth â hwy trwy lwybrau cul ac anodd, heibio i raeadrau a oedd yn rhuthro i lawr y cymoedd cul, serth. Roeddent yn gallu gweld bod Pumlumon yn un gwersyll mawr.

Ar ôl ymlwybro trwy gilfachau a heibio i sawl ogof, daethant o'r diwedd at lecyn heulog mewn tipyn o bant lle roedd nifer mawr o bebyll. Roedd milwyr yn gwibio'n ôl a blaen o'u cwmpas ac yng nghanol y llecyn, roedd baner o sidan gwyn â draig euraid arni yn chwifio.

"Dyma ni," meddai'r swyddog. "Mi gewch chi roi eich neges, beth bynnag ydi hi, i'n Tywysog, Owain Glyn Dŵr ei hun."

Aeth â nhw yn syth i ogof a oedd fel ystafell eang wedi'i naddu yn nwfn mewn clogwyn, ogof a oedd â'i phen draw o'r golwg. Roedd llenni a baneri yn hongian o'i chwmpas a'u gwaelodion wedi'u plygu ar sawl pentwr o arfau. Roedd yno fwrdd hir a nifer o ddynion urddasol yr olwg yn eistedd o'i amgylch. Hongiai nifer o lampau, wedi'u saernïo yn y graig, o'r to, ac yn union o dan un ohonynt eisteddai dyn tal, pendefigaidd yr olwg, mewn arfwisg o las tywyll a dolennau dur wedi'u plethu arni. Roedd ganddo wyneb hardd, cadarn, ac edrychai ar y byd trwy lygaid tywyll, treiddgar. Roedd y ddau'n gwybod ar unwaith eu bod yn sefyll o flaen yr arweinydd mawr a oedd yn arwr cenedl.

Owain Glyn Dŵr, o linach tywysogion Powys! Owain o Lyn Dyfrdwy! Y dyn a gododd i waredu'r genedl!

Edrychodd yn syn pan welodd ddau mor ifanc yn sefyll o'i flaen. Trodd ei lygaid byw i gyfeiriad y swyddog a oedd yn eu harwain.

"Nid lle i blant yw ogofâu Pumlumon, Rhodri," meddai'n dawel.

"Mi wn i hynny, Dywysog," atebodd y swyddog. "Ond mae gan y bachgen yma fwcl arfbais yr Iarll Douglas, ac mae wedi rhoi'r arwyddair. Mae ganddo lythyr yn ei wregys."

Neidiodd y Tywysog ar ei draed, a'i lygaid yn fflachio. "Llythyr? Ble mae'r llythyr?" meddai. "Pa ots pwy yw'r negesydd os yw'r llythyr yn iawn."

Agorodd y Tywysog sêl y llythyr, a'i ddarllen yng ngolau'r lamp. Yna rhoddodd ochenaid o ryddhad. "Rhys Gethin! Broch! Broch o Feifod!" galwodd.

Daeth dau ŵr i mewn ar unwaith. Dyn fel cawr oedd un,

dros ddwy lath o daldra, ac a oedd a gwisg ddur amdano. Dyn cymharol dal, heini a bywiog o gorff oedd y llall. Amdano roedd clogyn o felfed du a rhimyn o frodwaith arian arno, ac roedd yn chwarae â phicell fechan a oedd yn hongian wrth ei wregys.

"Rhys! Broch! Dyma neges o'r Alban," meddai'r Tywysog.

Plygodd y tri eu pennau uwchben y llythyr, gan sibrwd ambell air. Clywai Rhys un yn sibrwd "Abermaw".

"Na, Aberdyfi," meddai'r llall.

"Rhaid galw cyfrin gyngor heno a galw fy swyddogion ynghyd," meddai'r Tywysog. "Mi fydd Hanmer a Gruffydd Young wedi cyrraedd erbyn hynny."

Trodd yn sydyn at Rhys, a daeth mymryn o wên i'w wyneb.

"Yn awr, fachgen," meddai, "gad i mi wybod pwy wyt ti a sut y cefaist ti hyd i'r llythyr yma?"

"Mab Huw Fychan o Gastell Gwrtheyrn ydw i," meddai Rhys, ac aeth ymlaen i adrodd yr hanes yn fanwl. Pan ddywedodd am y lladrad, fflachiodd llygaid y Tywysog.

"Cymru wedi ymrannu, yntê?" meddai. "Bradwyr yn ein mysg ni ein hunain! Ein pobl yn bradychu'r rhai sy'n ceisio'u rhyddhau. Ffermwr yn fy ngwerthu i am bris fferm! A'r Iarll Douglas, sy'n estron, yn cynnig cymorth! Petai Cymru i gyd ar ein hochr ni, ni fyddai angen y llythyr hwn."

Safodd yn araf a chododd ei freichiau.

"O Gymru! Gymru!" meddai. "Am ba hyd y byddi di'n cysgu? Pa hyd? A minnau'n barod i dy arwain!" Ar hyn, dyma Luned bengoch yn rhedeg ato ac yn disgyn ar ei gliniau o'i flaen.

"O, Dywysog! Gadewch i mi ymuno â'ch byddin," meddai'n eiddgar. "Mi fyddai'n fraint cael marw trosoch a thros fy ngwlad!" a chusanodd ei law, gan ei gwlychu â'i dagrau.

Pennod 12

Edrychodd Glyn Dŵr ar Luned yn syn, fel petai'n sylweddoli'n sydyn eu bod yn yr ogof o hyd.

"Brysia dyfu, ac mi gei ddod o dan fy maner," meddai gan edrych yn graff arni. "Ond o ran hynny, ni allwn ddisgwyl dim llai na dewrder a ffyddlondeb gan fab Caradog ab Merfyn Goch o Blas Crafnant. Pe bai Caradog yn fyw, byddai yma ym Mhumlumon gyda ni. Rwyt ti'r un ffunud â dy dad, 'machgen i."

"Nid wyf yn adnabod Caradog ab Merfyn Goch, syr," meddai Luned. "Enw fy nhad oedd Dafydd Llwyd, ac rydw i'n byw yn Nant Gwrtheyrn."

"Nid oedd gan Caradog ab Merfyn Goch fab, syr," meddai swyddog a safai ym mhen draw'r ogof, mewn lle rhy dywyll i'r plant fod wedi sylwi arno o'r blaen. "Roeddwn i'n adnabod Caradog ab Merfyn Goch yn dda," meddai, gan ddod ymlaen o'r tywyllwch i'r golau. "Nid oedd ganddo fab erioed. Lladdwyd Caradog, fel yr ydych yn gwybod, gan fradwr ar ochr Eryri. Roedd ganddo eneth fach, ond bu farw bron yr un adeg â'i mam, yn blentyn ifanc iawn. Ar ôl marw'r eneth, daeth hil y pennau coch o Grafnant i ben."

Trodd Glyn Dŵr ato. "Pwy sydd wedi etifeddu'r stad?" gofynnodd.

"Nai i Caradog, mab ei chwaer," meddai'r cadfridog a oedd yn gwisgo'r clogyn melfed, cyn i'r swyddog gael cyfle i ateb. "Ac mae wedi cymryd yr enw Merfyn Goch, ond mae ei wallt mor ddu â'r frân. Na, mae'r pennau cyrliog coch wedi darfod o Blas Crafnant, yn anffodus. Roedd fy mrawd, Hywel Coetmor, yn ffrind mawr i Caradog. Rydym yn dod o'r un ardal, fel rydych chi'n gwybod, o Nant Conwy."

Edrychodd Glyn Dŵr yn synfyfyriol ar Luned, a daeth golwg dreiddgar i'w lygaid byw, craff. Gofynnodd gwestiwn iddi mor sydyn â saeth o fwa.

"Beth yw dy enw di?"

"Lun . . . Huw," atebodd hithau gan gofio, bron yn rhy ddiweddar, ei bod hi'n fachgen. Huw, enw'r meistr, a ddaeth gyntaf i'w meddwl. Roedd y cwestiwn wedi dod mor sydyn ac annisgwyl yng nghanol sgwrs arall fel na chafodd amser i feddwl. Cododd ton o wrid dros ei hwyneb pan sylweddolodd ei bod bron wedi dweud gormod.

Daeth gwên i lygad yr arweinydd mawr.

"Caradog ab Merfyn Goch," meddai'n ddistaw, fel pe bai'n ceisio rhesymu ag ef ei hun. "Cafodd Caradog ei ladd gan fradwr . . . nid oes neb yn gwybod pwy . . . pan oedd yn dringo creigiau Eryri. Roedd ganddo eneth fach . . . Bu hithau farw."

Trodd at y ddau yn sydyn. "Ewch yn awr," meddai'n frysiog. "Mae'n rhaid i mi roi amser i'r llythyr yma. Diolch i ti, fachgen, am dy ffyddlondeb. Rwyt ti wedi gwneud cymwynas â'th wlad. Caiff un o'r milwyr eich arwain at Huw Fychan ac mi fydd ef yn dweud wrthych sut i fynd yn ôl i Gastell Gwrtheyrn. Ewch yno ar unwaith ac arhoswch yno. Byddwch yn ddiogel yn y fan honno."

Edrychodd Glyn Dŵr unwaith eto yn graff ar Luned. "Dyma rybudd i ti ar dy ben dy hun, Lun . . . Huw," meddai. "Aros yng Nghastell Gwrtheyrn, a phaid â gadael i neb dy ddenu oddi yno ar unrhyw gyfrif, nes i ti glywed oddi wrthyf fi neu Huw Fychan, os bydd yr Arglwydd mor dda â'n harbed."

Roedd y Cadfridog Rhys Gethin hefyd yn dal i graffu ar Luned fel dyn mewn penbleth, ac roedd yn dda ganddi glywed y Tywysog yn galw ar un o'r milwyr ac yn rhoi gorchymyn iddo i'w harwain oddi yno.

"Dos â'r ddau fachgen yma at Huw Fychan," meddai. "Mae ar hyn o bryd yng ngwersyll Rhys Ddu o Geredigion, a dywed wrtho fod arnaf eisiau ei weld rywdro heno."

Yna trodd ei sylw'n gyfan gwbl at y llythyr. Ymhen ychydig funudau roedd wedi ymgolli cymaint yn ei feddyliau ei hun fel na wnaeth hyd yn oed edrych arnynt pan geisiodd y ddau foesymgrymu o'i flaen cyn ffarwelio ag ef.

Pennod 13

Rhyfeddodd Huw Fychan o weld Rhys a Luned yng ngwersyll y milwyr ym Mhumlumon. Rhyfeddodd fwy fyth pan ddeallodd beth oedd y neges a oedd ganddynt.

"Ewch adre'n ôl cyn gynted ag y medrwch chi," meddai. "Does wybod pa mor fuan y bydd gorchymyn yn dod i ni fynd i lawr y dyffryn i ymladd brwydr. Ac nid lle i rai mor ifanc â chi fydd Pumlumon pan fydd cannoedd ohonom yn rhuthro i lawr o'n lloches, a'r saethau'n chwibanu o fwâu'r saethyddion. Ac wrth sôn am saethau, rydw i'n gweld nad oes gennyt ddim i'th amddiffyn dy hun petai galw am hynny, Rhys. Roeddet yn fyrbwyll iawn yn cychwyn oddi cartre heb dy fwa. Cymer y bwa yma a'r cawell saethau. Gobeithio'r nefoedd na fyddi eu hangen arnat ti. Duw a'ch cadwo, 'mhlant annwyl i!"

Cafodd y ddau eu danfon ran o'r ffordd gan un o'r milwyr. Nid oedd arwydd fod neb na dim yn y goedwig nac yn y llwyni coed a oedd o gwmpas, er bod Rhys a Luned yn gwybod yn iawn fod cannoedd o lygaid yn eu gwylio, ac y byddai'r lle'n fyw drwyddo pe bai estroniaid yn dod yn agos i'r fan.

Ar ôl ffarwelio â'r milwr, cerddodd y ddau'n hamddenol adref, gan drin a thrafod y digwyddiadau ar ochr Pumlumon a sôn llawer am eu harwr, Owain Glyn Dŵr.

"Bu bron i mi roi 'nhroed ynddi," meddai Luned, "pan ofynnodd y Tywysog i mi mor sydyn beth oedd fy enw. Bu'n agos iawn i mi ddeud 'Luned'. Mi ddaeth y cwestiwn mor ofnadwy o sydyn. Wyt ti'n meddwl ei fod o wedi amau mai geneth oeddwn i?"

"Nid amau roedd o, roedd o'n sicr," meddai Rhys. "Roedd Glyn Dŵr yn gwybod cystal â minnau mai geneth wyt ti. Dyna pam y gofynnodd y cwestiwn mor sydyn, cyn i ti gael amser i hel dy feddyliau at ei gilydd. Ddaru ti sylwi arno'n dweud dy enw yn union fel roeddet ti wedi'i ddweud? 'Cofia di Lun... Huw aros yng Nghastell Gwrtheyrn', medda' fo."

"Do, mi sylwais arno'n deud yn union fel yna," meddai Luned. "Pwy ydi'r Caradog ab Merfyn Goch yna roedden nhw'n sôn cymaint amdano, Rhys?"

"Does gen i ddim syniad. Chlywais i erioed mo'r enw o'r blaen," meddai yntau. "Ond mae'n amlwg ei fod o'n rhywun pwysig ac yn berchen ar stad."

"Wel, pwy bynnag oedd o, mae o yn ei fedd ers blynyddoedd," meddai Luned. "Ydi'r dynion yna'n meddwl nad oes gan neb hawl i gael gwallt coch heb iddyn nhw fod yn perthyn i'r Caradog ab Merfyn Goch yna?"

"Rydw i'n nabod sawl un â gwallt coch," meddai Rhys yn araf, gan edrych yn synfyfyriol draw i'r pellter. "Ac rwyt tithau'n nabod rhai hefyd. Ond welais i erioed wallt mor goch a chyrliog â dy wallt di gan neb. Mae'n edrych yn union fel yr haul pan fydd yn machlud."

Gwylltiodd Luned yn sydyn, fel y byddai'n arfer gwneud. "O, Rhys! Rhag cywilydd i ti!" meddai'n ddig. "Wnes i ddim meddwl o'r blaen ei fod mor hyll! Cyn gynted ag y bydda i'n cyrraedd adref mi fyddaf yn gofyn i Gwen ei dorri i ffwrdd bob tamaid." Roedd y llygaid mawr glas yn llawn dagrau.

"Paid â siarad mor wirion," meddai Rhys yn ddiamynedd. "Nid deud ei fod yn hyll wnes i. Fedri di feddwl am rywbeth harddach na'r haul pan fydd yn machlud yn y môr?"

Tawelodd Luned ac aeth y sgwrs yn ôl at y prif destun, Owain Glyn Dŵr.

Roeddent wedi cerdded milltiroedd lawer ac wedi gorffwys droeon ar y daith. Erbyn hyn roedd yn dechrau nosi, ond nid oedd teithio'n anodd gan fod y lleuad yn goleuo'r wlad fel dydd. Roedd pawb yn garedig ym mhob tŷ lle bu'r ddau yn gofyn am fwyd yn ystod y dydd, ac roeddent wedi gofalu cadw mor bell ag oedd modd oddi wrth y ffordd lle roeddent wedi cael profiad chwerw gyda'r llythyr.

Nid oedd angen bellach ceisio troi'r stori pan fyddai'r tyddynwyr a'r ffermwyr yn sôn am Owain Glyn Dŵr. Nid oedd gan Rhys ddim i'w guddio y tro yma, ac roedd Luned yn falch o glywed pob sgwrs a oedd yn sôn am ei harwr. Roedd yn llawn awydd i wybod am y sefyllfa yn y wlad, ac roedd ei llygaid yn pefrio wrth sôn am Owain Glyn Dŵr a'r faner â'r ddraig euraid ar gefndir gwyn. Ni ddywedodd air, fodd bynnag, ei bod wedi gweld y faner a'r ddraig euraid arni'n chwifio ym Mhumlumon yng ngwersyll y Tywysog ei hun.

Deallodd Rhys, wrth holi, nad oedd brenin Lloegr mor gryf ag yr oedd wedi bod, a bod llawer o ffraeo a helynt ymhlith ei farwniaid. Cwynai'r trigolion i gyd am y trethi ac roedd si ar led fod dyn o'r enw Dafydd ab Ieuan Goch ac eraill yn gwibio'n ôl a blaen rhwng Glyn Dŵr a thywysogion yr Alban a'r Iwerddon. Rhwng popeth roedd y brenin mewn cryn bryder ac yn ofni bod y ddwy wlad yn paratoi i uno â Glyn Dŵr yn ei erbyn.

Pan glywodd Rhys am Dafydd ab Ieuan Goch, meddyliodd yn sydyn am y dyn a roddodd y llythyr iddo. Tybed a oedd ef ei hun wedi bod wyneb yn wyneb â'r Dafydd ab Ieuan Goch yr oedd y bobl yn sôn gymaint amdano? Efallai mai Dafydd ei hun oedd y dyn a achubwyd o'r môr? Tybed a oedd wedi gadael Castell Gwrtheyrn erbyn hyn? Ond na, nid oedd hynny'n bosibl. Roedd wedi anafu gormod o lawer i hynny. Roedd Rhys yn gobeithio o waelod ei galon y byddai'n cael ei weld wyneb yn wyneb unwaith eto.

Roedd yn amlwg fod Luned yn meddwl yr un peth hefyd a phrysurodd y ddau tuag at Gastell Gwrtheyrn heb arbed dim arnynt eu hunain. Cysgodd y ddau y noson honno mewn hen feudy gwag ar ymyl coedwig fechan. Yn ffodus roedd yno ddigon o wellt glân, esmwyth, ac ymhen ychydig iawn ar ôl gorwedd yn ei gynhesrwydd, roeddent yn cysgu'n drwm.

Ben bore trannoeth, roeddent yn barod i gychwyn eto ar eu taith. Ar ôl cryn deithio, ac aros mewn fferm neu ddwy, daethant at ffordd unig a garw. Roedd nentydd y mynyddoedd yn wyllt iawn ar draws eu llwybrau. Roedd yn ddiwrnod trymaidd, mwll ac roedd Rhys yn diolch bod Luned gydag ef ar y daith.

Pan oeddent ar ffiniau gogleddol Sir Feirionnydd, disgynnodd niwl tew, gan gau amdanynt fel breichiau oer. Roedd tir ac awyr, mynydd ac iseldir yn un, ac roedd hyn yn gwneud y daith yn fwy anodd o lawer. Roedd yn rhaid gwylio pob cam rhag ofn iddynt ddisgyn i ryw bwll neu domen.

"Gafael yn fy llaw, Luned," meddai Rhys. "Efallai y bydd y niwl yn clirio ar ôl i'r lleuad godi."

Fel arall yr oedd hi. Roedd y niwl fel mantell drwchus yn gorchuddio gwlad heb sôn am haul na lloer, ac roedd y ddaear o dan draed yn wlyb iawn.

"Fyddet ti'n licio gorffwys am ychydig?" gofynnodd Rhys.

"O, na, na. Nid yn y niwl yma," atebodd hithau. "Tyrd drwyddo rywsut. Mi fyddwn yn siŵr o ddod allan ohono cyn bo hir."

Ar y gair, dyma olau gwan, llwyd yn dod i'r golwg ychydig i'r chwith iddynt.

"Mae 'na dŷ neu rywbeth yn fan yna," meddai Rhys gan graffu orau y gallai i'w gyfeiriad. "Tyrd!"

Aeth y ddau tuag ato gan weld, ar ôl iddynt fynd yn nes, eu bod wedi cyrraedd ffermdy eithaf mawr.

"Dyma lwc, Rhys," meddai Luned. "Siawns na chawn ni damaid i'w fwyta a lle i orffwys."

Ni chawsant eu siomi. Roedd croeso'r ffermwr a'i deulu yn ddi-ben-draw. Ar ôl eu digoni â bwyd, cafodd y ddau orffwys mewn ystafelloedd cysurus. Mor braf, meddai Luned wrthi ei hun cyn mynd i gysgu, ydi cael gorffwys mewn lle fel hyn. Mae'n well o dipyn na'r beudy gwag neithiwr.

Pan ddeffrodd y ddau drannoeth, roeddent yn gallu gweld nad oedd arwydd bod y niwl am godi. Yn wir, os rhywbeth, roedd yn fwy trwchus na'r noson cynt. Roedd gwraig y ffermwr yn crefu arnynt i aros iddo deneuo cyn cychwyn eto, ac roedd ei gŵr yn cytuno â hi.

"Mae gennych chi waith rhai oriau o gerdded eto cyn cyrraedd Beddgelert," meddai'r ffermwr. "Mae llawer o'r tir y ffordd yma'n wyllt a garw ac mi allech yn hawdd fynd i helynt ac anafu eich hunain yn y niwl."

Ond roeddent yn mynnu mynd yn eu blaenau, ac ar ôl cael brecwast a diolch i'r teulu caredig, prysurodd y ddau ymlaen orau y gallent.

Bu Rhys a Luned yn cerdded am oriau heb weld na thŷ na thwlc na neb byw, a'r niwl yn dal i gau amdanynt, er ei fod i'w weld yn teneuo ychydig erbyn hyn.

"Mae'n rhyfedd na fyddem wedi cyrraedd Beddgelert erbyn hyn," meddai Luned.

"Mi fyddwn yno gyda hyn, mi gei di weld," meddai Rhys, gan wneud ei orau i geisio cuddio'r pryder o'i lais. Roedd yn dechrau ofni eu bod wedi colli'r ffordd, ond nid oedd am adael i Luned wybod hynny.

"Rydw i wedi blino dipyn," meddai Luned. "Wyt ti?"

"Ydw, braidd," oedd yr ateb. "Ond mi gawn ni orffwys yn yr Abaty. Unwaith y bydd fy mhen ar obennydd, rydw i'n credu y gallwn i gysgu am wythnos gyfan heb ddeffro."

"Paid â gwneud hynny ar daith, beth bynnag . . ."

"Edrych!" meddai Rhys ar ei thraws. "Mae rhywun yn dod."

Wrth iddo siarad, roeddent yn gallu gweld dyn yn cerdded i'w cyfarfod ac roedd ganddo gi wrth ei sawdl. Roedd yn amlwg ei fod yn ffermwr ar daith. Edrychodd gyda chryn ddiddordeb ar ddau mor ifanc yn crwydro yn y fath le.

"Chwilio am ryw ddefaid sydd wedi crwydro rydw i," meddai, gan syllu'n graff arnynt. "Welsoch chi mohonyn nhw, debyg?"

"Naddo'n wir," atebodd Rhys. "Ar y ffordd i Feddgelert rydan ni. Oes 'na lawer o ffordd eto?"

"Beddgelert?" meddai'r dyn mewn syndod. "Beddgelert? Rydych chi wedi mynd heibio i'r fan honno ers meityn."

"Welson ni mo'r lle yn y niwl," meddai Rhys, â'i lygaid ar Luned. "Dyna hen dro!"

"Rydw i'n byw yng Nghapel Curig," meddai'r dyn. "Rydych chi wedi mynd heibio'r fan honno hefyd."

"Eisiau mynd i Nant Gwrtheyrn sy arnon ni," meddai Luned.

"Nant Gwrtheyrn? Ble mae fan'no?"

"Yn ymyl Nefyn," atebodd Rhys.

Edrychodd y ffermwr yn ddryslyd arnynt. Roedd yn hawdd gweld nad oedd wedi clywed sôn am Nefyn, chwaith.

"Mae o wrth y môr," meddai Luned.

"O," meddai yntau, "os ydi'r lle wrth y môr mi fyddwch yn siŵr o gyrraedd yno ond i chi ddal i fynd ymlaen."

"Wel, wel," meddai Luned, wedi iddynt ffarwelio â'r ffermwr. "Dyw hynna o help yn y byd. Ond mi wn i be wnawn ni. Mi ddaliwn ni i gerdded ymlaen ac mi awn at y tŷ cynta welwn ni, a gofyn am lety tan y bore.

Mi fydd yn haws dod o hyd i'r ffordd yn y dydd, ac efallai y bydd y niwl 'ma wedi codi cyn y bore."

Aeth y ddau ymlaen trwy'r llwydni tywyll, ond roedd y ffordd yn mynd yn fwy serth a garw o hyd. Roedd mynyddoedd uchel o'u cwmpas, ond o dan eu gorchudd o niwl. Nid oedd ond y llethrau isel yn y golwg trwy'r tarth wrth iddynt ddringo trwy hafn yn y mynyddoedd ar hyd llwybr defaid a oedd yn troelli'n igam-ogam i fyny'r llechwedd.

"Rydan ni'n siŵr o fod yn dringo'r Wyddfa," meddai Luned.
"Na, mae hynny'n amhosib yma," meddai Rhys. Ond roedd tinc o bryder ac amheuaeth yn fwy amlwg yn ei lais erbyn hyn. "Wyddost ti be, Luned," meddai wedyn. "Mae arna i ofn mai siawns wael sydd gennyn ni i weld tŷ mewn lle fel hyn. Wyt ti'n meddwl y byddai'n well i ni droi'n ôl? Does wybod yn y byd i ble'r awn ni wrth ddal i ddringo fel hyn yn y niwl."

"Paid â sôn am droi'n ôl," meddai hithau'n bendant.

"Cofia'r milltiroedd rydan ni wedi'u cerdded heb weld yr un enaid byw, na hanes o dŷ yn unman." Cerddodd y ddau'n ofalus ac araf yn eu blaenau.

"Aros di," meddai Luned yn sydyn. "Dydan ni ddim yn dringo rŵan. Rydan ni ar y gwastad."

"Eitha gwir," cytunodd Rhys, gan geisio craffu trwy'r niwl. "Sbia. Mae 'na lyn yma, ac mae o'n llyn reit fawr."

"Pa lyn ydi hwn, tybed?" meddai Luned. "Rhaid i ni fod yn ofalus rhag i ni lithro iddo."

Cerddodd y ddau'n araf ar hyd glan y llyn ac yna, trwy lwydni'r niwl, dyma olau gwan yn ymddangos o'u blaenau yn rhywle. Rhoddodd Luned floedd o lawenydd.

"Dacw olau!" meddai. "Mae yna dŷ neu rywbeth fan acw! Tyrd, Rhys! Tyrd!"

Pennod 14

Aeth y ddau mor gyflym â phosibl gyda glan y llyn tuag at y golau. Roeddent yn methu ei weld yn awr gan fod llwyn o goed yn ei guddio, ond yn fuan, daeth i'r golwg eto rhwng y brigau.

"Mae'r niwl yn teneuo," meddai Rhys. "Wyt ti'n gweld mor blaen ydi'r golau rŵan?"

"Ie, a ninnau mor uchel," meddai Luned. "Cofia faint rydan ni wedi'i ddringo. O, Rhys, mae hwn yn lle mawr. Sbia ar y tyrau acw! Tybed a ydyn ni wedi dod at Gastell Conwy o'r diwedd?"

"Rwyt ti'n meddwl am y pethau rhyfedda'," meddai Rhys gan chwerthin. "Ychydig yn ôl roeddet ti'n dringo'r Wyddfa, a dyma ti rŵan yng Nghastell Conwy! Na, nid Castell Conwy sydd ym mhen y mynyddoedd fan yma, er bod hwn yn lle mawr."

Roedd tyrau o feini llwyd yn codi'n hardd dros bennau'r coed o'u cwmpas ac yn dod yn fwy amlwg bob eiliad bron. Roedd awel min nos yn gwneud i'r niwl ddiflannu'n gyflym, yn sicr, hyd yn oed ar ucheldir fel hyn. Aeth Luned a Rhys ymlaen trwy'r coed, gan weld plasty helaeth o'u blaenau a holltau saeth cul yn ei dyrau.

"Chawn ni byth groeso mewn plasty fel hwn," meddai Luned yn ofnus gan droi at Rhys. "Mi fyddai'n well o lawer i ni geisio mynd ymlaen a gofyn am lety mewn bwthyn."

"Plasty neu beidio," meddai Rhys, "rydw i am fynd i ofyn. Wnaiff neb wrthod cysgod a thamaid o fwyd i ddau fel ni am un noson, a ninnau wedi colli'n ffordd yn y niwl."

Cerddodd y ddau at y tŷ, a chanodd Rhys y gloch fawr wrth ddrws a oedd a bariau haearn trwm arno. Roedd y gloch i'w chlywed yn atseinio'n uchel yn rhywle y tu mewn. Yn sydyn, agorwyd darn sgwâr ym mhen uchaf y drws a daeth wyneb porthor i'r golwg. Edrychodd yn syn pan welodd y ddau.

"Pwy ydach chi? . . . A be ydi'ch neges?" gofynnodd.

"Dau fachgen wedi colli eu ffordd yn y niwl," atebodd Rhys.

"Fyddai modd i ni gael cysgod tan y bore, er mwyn i ni allu mynd ymlaen ar ein taith?"

Aeth wyneb y porthor o'r golwg ac ymhen ychydig funudau, roeddent yn gallu'i glywed yn ymbalfalu â'r cadwynau a'r bariau trwm y tu mewn. Agorodd y drws a gwahoddodd y ddau i mewn.

"Dewch i'r neuadd i gynhesu," meddai, a gwelodd Rhys a Luned danllwyth o dân yn llosgi ar aelwyd fawr y neuadd eang. Yr adeg honno y sylweddolodd y ddau am y tro cyntaf eu bod yn oer ac yn wlyb diferol ar ôl iddynt gerdded trwy'r niwl a glaw mân y mynydd.

"O ble y daethoch chi?" holodd y porthor.

"O Fachynlleth," atebodd Rhys yn wyliadwrus, "ac rydym wedi colli ein ffordd yn y niwl. A gaf fi ofyn ble ydan ni?"

"Ym Mhlas Crafnant," meddai'r porthor, "cartref Merfyn Goch. Crafnant ydi'r llyn y daethoch chi heibio iddo. Ewch at y tân yn y fan acw i sychu ac i gynhesu."

Edrychodd Rhys a Luned ar ei gilydd. Plas Crafnant! Merfyn Goch! Roeddent wedi clywed yr enwau hyn fwy nag unwaith ar eu taith. Ac onid oedd sawl un wedi dweud bod Luned yn un o hil Merfyn Goch? A dyma nhw wedi cyrraedd ei gartref yn annisgwyl. Ar ôl crwydro gymaint a cholli eu ffordd, roeddent wedi cyrraedd Plas Crafnant, o bobman. Roedd y peth yn anhygoel! Er hynny, roedd y ddau'n falch o'r gwahoddiad i fynd at y tân.

"Eisteddwch yn y fan yna," meddai'r porthor eto, "tra byddaf yn nôl fy meistr."

Nid oedd unrhyw olau yn y neuadd, heblaw am y golau coch, cynnes, o'r tân ar yr aelwyd.

Rhoddodd y porthor bwniad iddo a thaflodd foncyff mawr i'w ganol. Fflachiodd y fflamau'n uchel i dywyllwch y simnai gan daflu gwawr goch ar y trawstiau trwm, ac ar wynebau'r ddau.

"Y nefoedd a'n gwaredo!" sibrydodd y porthor yn sydyn mewn llais yn llawn o ofn.

Safai yno'n syllu'n gegagored arnynt. Yna, trodd yn sydyn a rhedeg o'r ystafell fel dyn wedi gweld ysbryd.

Pennod 15

Edrychodd Rhys a Luned ar ei gilydd yn syn. "Be oedd yn bod ar y dyn?" meddai Luned gan grychu ei haeliau yn ei phenbleth. "Wyt ti'n meddwl ei fod o wedi colli ei synhwyrau, Rhys?"

"Wn i ddim," meddai Rhys, gan edrych o gwmpas y neuadd rhag ofn bod y dyn wedi gweld rhywbeth i'w ddychryn yn y fan honno, a hwythau heb sylwi arno. Ond nid oedd dim i'w weld yn unman i beri syndod na dychryn i neb.

"Mae'n siŵr bod rhywbeth wedi'i ddychryn," meddai Rhys. "Efallai y cawn ni weld yn y man."

Eisteddodd y ddau o flaen y tân coed, gan feddwl mor ddifyr fyddai cael bod o flaen y tân gyda Modryb Modlen a Gwen yng Nghastell Gwrtheyrn.

Agorwyd y drws ym mhen draw'r ystafell heb i'r un o'r ddau ei glywed. Roedd dyn yn sefyll yno, yn edrych arnynt yn llechwraidd o'r cysgodion. Safai fel delw, gan eu gwylio'n fud ac yn llonydd. Yna, cerddodd i mewn i'r neuadd. Roedd yn ddyn cymharol dal, a chanddo wallt llyfn cyn ddued â'r frân, a dau lygad du, llym, gwibiog.

"Rydw i'n deall eich bod chi wedi colli eich ffordd yn y niwl," meddai. "Mae pob croeso i chi aros noson yma, ac os dewch chi efo mi i'r ystafell nesaf, mi gewch ddigon o fwyd a phopeth y gall Plas Crafnant ei roi i chi."

Edrychodd Rhys ar Luned a gwasgodd ei llaw i ddangos ei falchder o ddod ar draws lle mor groesawgar. Yna aethant ar ôl y dyn. Roedd yn hawdd gweld oddi wrth ei wisg a'i ymddygiad mai hwn oedd Merfyn Goch, perchennog y plas, y bonheddwr roedd pawb yn meddwl bod Luned yn perthyn iddo. Ond nid oeddent yn debyg i'w gilydd o gwbl. Roedd gwallt hwn yn ddu a llyfn. Yn wir, roedd yn debycach o lawer i Rhys nag i Luned.

Aethant i ystafell â grisiau'n arwain ohoni i oriel lle byddai'r bardd teulu yn rhoi adloniant i'r rhai a oedd yn bwyta, gyda'i ganeuon a'i offer cerdd. Ond nid oedd neb yn yr oriel yn awr. Roedd nifer o lampau pres hardd yn hongian o'r to uchel ac roedd rhai ohonynt yn olau. Roedd tân ar yr aelwyd yn yr ystafell hon eto, ac ar ganol y llawr roedd bwrdd hir a gwledd arno. Roedd yno bysgod a phastai o adar mân, a medd. Roedd llygaid y ddau newynog yn disgleirio wrth weld y fath wledd.

Wrth iddynt fwyta, roedd y bonheddwr yn eu holi'n fanwl. "Be ydi dy enw di, fachgen?" gofynnodd i Luned.

Ond roedd hi'n barod y tro hwn.

"Huw Fychan," meddai, gan gymryd enw'r meistr a hoffai mor fawr.

"A thithau?" meddai'r bonheddwr wedyn wrth Rhys.

"Rydach chi'n perthyn i'ch gilydd, felly?" meddai, ar

ôl i Rhys ateb. "Welais i erioed ddau mor annhebyg. O ble y daethoch chi yma?"

"O Fachynlleth," atebodd Rhys yn ofalus.

"Felly'n wir. I ble ydach chi'n ceisio mynd? Ble mae'ch cartre chi?" gofynnodd y bonheddwr eto.

"Yn Nant Gwrtheyrn yn Llŷn. Ar ein ffordd adre rydan ni," oedd ateb Rhys.

Daeth rhyw newid rhyfedd dros wyneb y dyn. Cymylodd ei wyneb a fflachiodd ei lygaid yn fileinig. Neidiodd ar ei draed.

"Nant Gwrtheyrn!" gwaeddodd. "Nid dyma'r ffordd i Nant Gwrtheyrn! Rŵan, dwedwch y gwir, a dim ond y gwir, neu mi fydd yn waeth arnoch chi. Pwy a'ch anfonodd chi i Blas Crafnant?"

Gwylltiodd Luned yn sydyn pan glywodd y dyn yn dechrau eu bygwth.

"Neb, wrth gwrs," meddai'n swta, a her yn ei llygaid glas. "Mi fyddai rhywun yn meddwl ein bod ni yma gyda rhyw fwriad drwg, ac mai esgus i gyd oedd colli'r ffordd yn y niwl. Pa reswm fyddai gan neb i anfon dau fel ni i le fel hyn? Mae pawb wedi bod yn garedig iawn ar hyd y daith, ac rydyn ni heb glywed yr un gair cas yn unman nes i ni ddod yma. Pan fydd rhywun yn troi i mewn aton ni i Gastell Gwrtheyrn mi fyddwn yn rhoi'r croeso mwya posib iddyn nhw, ac nid yn mynd allan o'n ffordd i'w sarhau trwy eu hamau."

Yna trodd at Rhys.

"Tyrd, Rhys," meddai. "Mi awn ni oddi yma ar unwaith. Diolch i chi, syr, am y pryd bwyd. Ond wnawn ni ddim aros yma funud yn hirach."

Newidiodd wyneb y dyn pan gododd y ddau, a diflannodd

yr olwg gas a oedd arno.

"Na, na. Arhoswch funud bach," meddai'n dyner. "Rhaid i chi faddau i mi. Rydw i wedi byw yma ers cymaint ar fy mhen fy hun nes bod fy null i o siarad weithiau'n camarwain pobl. Rydach chi wedi 'nghamddeall i. Mae pob croeso i chi ym Mhlas Crafnant ac mi fyddwn i'n digio'n fawr pe baech chi'n gadael cyn y bore. Rydw i wedi rhoi gorchymyn i'r gweision baratoi eich ystafelloedd."

Rhoddodd ei law ar gloch fawr a oedd yn ymyl, a daeth gwas i mewn.

"Dyrnog, dangos i'r bechgyn yma yr ystafelloedd lle maen nhw i orffwyso heno," meddai gan droi at y ddau. "Ewch eich dau efo Dyrnog. Gobeithio y byddwch yn cysgu'n dawel. Nos da."

Gwenodd Dyrnog gan ddangos rhes o ddannedd cam, melyn. Roedd yn llabwst o ddyn cryf, cyhyrog a'i wyneb yn hagr a mileinig. Yn wir, roedd wedi bod yn ymladdwr ac yn arwr gornestau ymladd yn ei ddydd. Cychwynnodd i fyny'r grisiau derw a oedd yn arwain o'r ystafell fwyta gan aros i'r ddau ei ddilyn. Ar ôl cyrraedd pen y grisiau daethant at lwybr hir ac agorodd y dyn ddrws yn y pen pellaf gan ddweud wrth Rhys am fynd i'r fan honno.

"Mae dy ystafell di ymhellach ymlaen," meddai wrth Luned.

Arweiniodd hi ar hyd llwybr arall a oedd yn troi'n sydyn i'r dde oddi wrth ddrws ystafell Rhys. Aeth â hi at risiau cerrig troellog a daliodd i ddringo i fyny, fyny, nes y teimlai Luned ei phen yn ysgafnu. Roedd yn methu deall i ble roedd y dyn yn mynd â hi ond roedd hi'n gwybod, wrth ddringo'r grisiau, mai i fyny un o'r tyrau roeddent yn mynd. Yn sydyn dechreuodd deimlo'n anesmwyth ac ofn rhyfedd yn cerdded drosti, ac roedd fel petai rhywun yn sibrwd 'Perygl, perygl!' yn ei chlust. Ni chymerodd ond eiliad iddi benderfynu beth i'w wneud.

Trodd ar ei sawdl a dechreuodd redeg yn ôl fel ewig i lawr y grisiau troellog.

Digwyddodd y peth mor sydyn ac annisgwyl, roedd y gwas wedi dal ati i ddringo'r grisiau cyn sylweddoli beth oedd yn digwydd. Rhoddodd hynny gyfle i Luned gael y blaen arno. Rhedodd fel y gwynt nes iddi gyrraedd gwaelod y grisiau. Ond ar y gris isaf, syrthiodd ar ei hyd ar draws bar o haearn. Y funud nesaf roedd y gwas, gyda rheg ar ei wefusau, yn ei chodi yn ei freichiau ac yn ei chario'n ôl i fyny'r grisiau.

"Rhys!" bloeddiodd Luned dros y lle gan ymdrechu'n wyllt i ddod o afael y dyn. "Rhys! Rhys!" Ond yn ofer. Roedd yr hen ymladdwr cryf wedi cael gorchymyn gan ŵr y tŷ am beth i'w wneud.

"Waeth i ti heb â gweiddi," meddai'n wawdlyd. "Mae'r waliau yma'n rhy drwchus o lawer i neb allu dy glywed."

Agorodd ddrws ym mhen uchaf y tŵr a thaflodd Luned yn ddiseremoni i ystafell fechan, dywyll. Caeodd y drws arni a chlywodd yr eneth sŵn yr agoriad rhydlyd yn troi y tu allan i'r drws.

Roedd Luned yn garcharor ym Mhlas Crafnant.

Pennod 16

Roedd yn amlwg i Luned bod rhyw gynllwyn ar waith, ond beth, yn enw pob rheswm, a pham? Y peth cyntaf a wnaeth ar ôl iddi gael ei gwynt ati oedd edrych yn fanwl am ffordd i ddianc. Er bod yr ystafell yn dywyll, roedd hi'n gallu gweld golau llwyd, gwan yn uchel yn y wal. Roedd hi'n gwybod mai ffenest ydoedd, ond nid oedd hi'n bosibl dringo'r wal tuag ati yn y gwyll.

Roedd rhywbeth gweddol esmwyth ar lawr a meddyliodd mai gwely oedd hwn. Eisteddodd arno i geisio dyfalu beth fyddai orau ei wneud a sut y gallai ddianc o'i charchar uchel. Y peth olaf roedd hi'n dymuno'i wneud oedd cysgu, ond heb yn wybod iddi, aeth cwsg yn drech na hi.

Roedd hi wedi cerdded cymaint y diwrnod hwnnw ac wedi cael bwyd mor dda ar ôl y siwrnai nes iddi deimlo'i hun yn mynd i gysgu ar y gwely, er ei gwaethaf. Tynnodd ei chlogyn glas yn dynn amdani a chysgodd yn drwm.

Pan ddeffrodd, daeth popeth a ddigwyddodd yn fyw i'w chof ar unwaith, a neidiodd ar ei thraed. Roedd yn olau ddydd a'r niwl wedi clirio. Gallai weld awyr las trwy'r ffenest uchel.

Twll hirgul, tua llathen o hyd oedd hwn a bar haearn cryf yn ei rannu'n ddau. Yn wir, nid oedd yn ddim mwy na hollt saethu ac roedd Luned yn gwybod y gallai wthio'n rhwydd rhwng y bariau. Cododd ei chalon pan welodd fod gobaith dianc y ffordd honno.

Roedd dringo'r wal yn waith anodd gan ei bod yn weddol lyfn. Ond roedd Luned wedi hen arfer â dringo creigiau llithrig Nant Gwrtheyrn, ac ar ôl tipyn o drafferth a chrafu ychydig ar groen ei dwylo, llwyddodd i'w chodi ei hun ar garreg y ffenest. Edrychodd allan ac aeth ias o siom drwyddi.

Gwelodd ar unwaith na fyddai'n gallu dianc y ffordd honno, er y gallai'n hawdd wthio rhwng y bariau. Roedd y tŵr mor uchel, roedd brigau'r hen goed derw o gwmpas y plas i'w gweld ymhell islaw iddi. Wrth i Luned edrych i lawr i'r nythod ar y brigau uchaf, roedd hi'n teimlo fel petai'n hofran yn yr awyr yn uchel uwch eu pennau. Na, dim ond drwy hedfan y byddai'n bosibl dianc y ffordd honno.

Dringodd i lawr yn ofalus ac eisteddodd ar y gwely eto. Roedd hi'n methu deall pam roedd hyn wedi digwydd iddi. Pam ar y ddaear roedd y dyn yn trafferthu i garcharu bachgen dieithr nad oedd erioed wedi'i weld o'r blaen? Ymbalfalodd am ei chlogyn i'w dynnu dros ei hysgwydd, ond nid oedd o yno. Roedd wedi diflannu! Ni chymerodd lawer o amser iddi chwilio'r gell fechan, foel. Ond nid oedd golwg ohono yn unman. Roedd Luned yn cofio'i bod wedi'i dynnu drosti y noson cynt cyn mynd i gysgu. Ond yn awr nid oedd sôn amdano. Nid oedd ond un eglurhad. Roedd rhywun wedi bod yn yr ystafell tra oedd hi'n cysgu ac wedi dwyn y clogyn.

Ond pam, yn enw pob rheswm? Roedd ôl gwisgo mawr arno a'i waelod yn garpiau ar ôl bod trwy ddrain a mieri. Yn sicr, nid oedd neb eisiau clogyn fel hwnnw mewn plasty fel hwn! Crychodd Luned ei haeliau mewn penbleth.

Cofiodd fel yr oedd y ffermwr wedi dwyn y llythyr oddi ar Rhys pan oedd yn cysgu. Ond yr oedd gan y ffermwr reswm dros roi ei ddwylo ar lythyr pwysig fel hwnnw. Peth hollol wahanol oedd dwyn clogyn oddi ar fachgen hollol ddieithr, a hwnnw'n glogyn mor salw. Ni allai Luned feddwl ond am un eglurhad. Rhaid bod pobl y plas yn dechrau drysu. Roedd yn amlwg eu bod wedi colli eu pwyll! Mwy o reswm fyth dros geisio dianc o'r fath le.

Ble oedd Rhys tybed? A oedd ef yn garcharor hefyd? Tybed a oedd ef yn gallu dianc? Os gallai, sut yn y byd y byddai'n dod i wybod ble i gael hyd iddi hi? Roedd yr eneth yn gwybod yn iawn na fyddai Rhys byth yn mynd o'r lle hebddi, os oedd yn rhydd. Roedd yn rhaid ceisio gadael iddo wybod rywsut ble roedd hi. Ond sut?

Wrth i'r pethau hyn wibio trwy ei meddwl, clywodd yr allwedd rydlyd yn gwichian wrth iddo droi yn y clo. Agorwyd y drws yn araf a daeth y gwas cyhyrog a oedd wedi'i chario y noson cynt i mewn, a bwyd yn ei law. Cododd rywfaint ar ei chalon pan welodd nad oeddent am ei llwgu, beth bynnag.

"Bwyta hwn," meddai'n sarrug.

"Pam ydach chi'n fy nghadw i yma?" gofynnodd Luned. "Pryd ca i fynd? Wnes i erioed ddrwg i chi. O, gadewch i mi fynd! Ble mae Rhys?"

"Un cwestiwn ar y tro," meddai yntau. "Mae Rhys wedi codi ers meityn ac wedi cychwyn ar ei daith oddi yma. Mi gei dithau fynd ar ôl iddi nosi. Mi aiff Merfyn Goch â thi . . . wel, does angen i ti wybod i ble. Ond ni fydd rhaid i ti ddod yn ôl yma, paid â phoeni."

"Mae'n rhaid i mi gael mynd oddi yma y funud 'ma. Mae arna i eisio mynd adre efo Rhys," meddai Luned yn danbaid.

Chwerthin yn wawdlyd wnaeth y dyn.

"Roeddet ti'n falch iawn o ddod i mewn yma neithiwr. Felly, be ydi'r brys sydd arnat ti i adael?" meddai. "Gwna'n fawr o'r stafell 'ma o hyn tan y nos. Rhaid i ti byth ddod iddi eto, rydw i'n siŵr o hynny. Mi fydd damweiniau'n digwydd weithiau tua Llyn Crafnant, wyddost ti."

Dychrynodd Luned drwyddi a rhewodd y cwestiwn am y clogyn ar ei gwefusau. Cymerodd y bwyd o law'r dyn ac aeth yntau allan gan gloi'r drws ar ei ôl. Eisteddodd ar y gwely i geisio bwyta ychydig, ac wrth iddi fwyta, roedd y naill gwestiwn ar ôl y llall yn gwibio trwy ei meddwl. Beth oeddent am ei wneud iddi? A pham? A oeddent yn ei chamgymryd am rywun? A fyddai'n well iddi gyfaddef mai geneth oedd hi? Roedd un peth, beth bynnag, yn siŵr. Roedd yn rhaid gadael i Rhys wybod, rywsut, ble roedd hi!

Edrychodd at y ffenest uchel. Petai'n taflu rhywbeth allan drwy honno, efallai y byddai Rhys yn dod ar ei draws. Ond beth? Syrthiodd ei llygaid ar y gwregys patrymog a oedd ganddi am ei chanol. Gwregys Rhys oedd o, a phe bai'r bachgen yn gweld hwnnw, byddai'n sicr o'i adnabod.

Am yr ail waith o fewn ychydig oriau, dringodd yn ofalus at y ffenest. Ond sylweddolodd, wrth edrych allan, y gallai'r defnydd yn hawdd gael ei ddal ar un o frigau'r coed islaw ac na fyddai gobaith i Rhys byth ei weld yn y fan honno.

Daeth i lawr, ac ar ôl chwilio o gwmpas y waliau, gwelodd garreg yn rhydd. Tynnodd hi, a'i rhwymo'r defnydd o'i chwmpas. Dringodd at y ffenest eto a gollyngodd y garreg yn ofalus. Gwyliodd hi'n disgyn fel bollt trwy frigau'r coed. Hedfanodd aderyn o'i nyth gan roddi gwawch uchel o brotest, a chrawciodd y brain o gwmpas pennau'r coed.

Roedd Luned yn teimlo'n dawelach o lawer ar ôl gwneud hyn. Tybed a fyddai Rhys yn dod ar draws y gwregys? Pe bai yn ei weld, byddai'n sicr o'i hachub, rywsut!

Gallai Rhys wneud popeth!

Pennod 17

Deffrodd Rhys ar ôl noson o gwsg trwm yn yr ystafell lle cafodd ei adael y noson cynt, ac roedd awyr las i'w weld trwy'r ffenest. Cododd ac edrychodd allan. Roedd clogwyni coediog a rhaeadrau mawreddog o'i flaen a rhyngddynt roedd Llyn Crafnant yn ymestyn fel petai'n ddur, a hwnnw'n adlewyrchu glesni'r awyr. Gallai glywed yr adar yn canu a'r ŵyn yn brefu ar lethrau'r mynyddoedd. Teimlai Rhys yn hapus braf – roedd hi'n ddiwrnod hyfryd, roedd ei daith wedi bod yn llwyddiant, ac roedd yntau a Luned ar eu ffordd adref i Nant Gwrtheyrn. Aeth i lawr i'r ystafell fwyta gan ddisgwyl gweld Luned yno o'i flaen. Dyna oedd ei harfer bob amser yng Nghastell Gwrtheyrn. Ond nid oedd i'w gweld yn unman.

Roedd y bonheddwr, Merfyn Goch, yn eistedd wrth y bwrdd, ac estynnodd fwyd i Rhys. Roedd Rhys yn rhyfeddu bod Luned mor hir yn dod, ac o'r diwedd gwnaeth sylw am y peth.

"Peth rhyfedd na fyddai Huw wedi codi," meddai.

"Gartre, mi fydd wedi codi bob amser cyn i neb arall feddwl am symud."

Cododd Merfyn Goch ei ben tywyll mewn syndod. "Mae dy frawd wedi codi ers meityn," meddai. "Roeddwn i'n meddwl dy fod di'n gwybod hynny, ac wedi'i weld trwy'r ffenest. Roeddwn i'n rhyfeddu ei weld o o gwmpas mor fore. Mi gefais i sgwrs efo fo a dywedodd ei fod yn mynd am dro at y llyn cyn brecwast am ei bod yn fore mor braf. Peth rhyfedd ei fod o mor hir."

Ar ôl i Rhys orffen bwyta rhoddodd y bwa a gafodd gan ei dad ar ei ysgwydd ac aeth allan i chwilio am Luned. Nid oedd yn weddus iawn i westeion aros yn hir ar ôl cael llety noson a brecwast ac roedd yn hen bryd iddynt gychwyn ar eu taith. Ond nid oedd Luned wedi bwyta ei brecwast, hyd yn oed.

Cerddodd ar hyd glan y llyn a haul y bore'n taflu golau arian ar ddail y coed uchel a oedd bron fel clogyn hir yn ymestyn i lawr o gopaon y mynyddoedd o gwmpas. Ond er i Rhys graffu i bob cyfeiriad, nid oedd yn gallu gweld unrhyw sôn o Luned yn unman. Ar un ochr i'r llyn roedd y goedwig ar lethr y bryn uchel yn ymestyn fel clogyn trwchus i lawr hyd at furiau cadarn y plasty. Yn y fan honno roedd y coed yn gadarn ac yn eu dail a theimlai Rhys yn sicr mai yno, yng nghanol y rheini, roedd Luned, gan nad oedd i'w gweld yn unman arall.

"Luned! Luned! Luned!" gwaeddodd ar dop ei lais.

Ond nid oedd neb yn ateb na sŵn i'w glywed ond atsain ei lais ei hun a'r ŵyn yn brefu ar y llethrau. Cerddodd i gyfeiriad y coed, ac yn sydyn, gwelodd rywbeth yn nofio ar wyneb llonydd y llyn a wnaeth i'r gwaed rewi yn ei wythiennau.

Clogyn Luned!

Nid oedd modd ei chamgymryd. Ei glogyn ef ei hun oedd hi. Syllodd arno'n gegagored yn ei fraw. Iddo ef, nid oedd ganddi ond un neges. Roedd Luned wedi boddi yn y llyn!

Luned wedi boddi! Nid oedd bywyd bellach yn werth ei fyw. Ni fyddai byth yn gallu byw heb Luned! Roedd Luned bengoch yn rhan o'i fywyd, y rhan bwysicaf ohono! Beth oedd o'n mynd i'w wneud? O, beth oedd o'n mynd i'w wneud? Nid oedd yn deilwng i fod yn fab i Huw Fychan. Roedd wedi colli llythyr Owain Glyn Dŵr trwy gysgu, pan ddylai fod yn gwylio. Rŵan roedd wedi colli Luned, pan ddylai fod yn gwylio! O, beth fyddai'n dod ohono!

Fesul tipyn, yn araf, ciliodd y braw, a daeth rheswm i gymryd ei le. Sut y gallai Luned, o bawb, foddi yn y llyn yma a hithau mor gyfarwydd â llynnoedd y mynyddoedd, a'r môr? Gallai nofio'n well na neb yr oedd Rhys yn ei adnabod, a ni fyddai'n petruso rhag gwneud hynny, hyd yn oed pan fyddai'r môr yn donnau cynhyrfus ar ôl storm. Na, nid oedd hi'n bosibl i Luned foddi mewn llyn llonydd fel hwn. Pe bai hi wedi llewygu ar ymyl y llyn ac wedi syrthio iddo, gallai foddi, efallai. Ond nid oedd Luned wedi llewygu erioed.

Cododd Rhys yn sydyn a cherddodd ar hyd glannau'r llyn yn wyllt a chyflym gan chwilio'n fanwl am ôl llithro yn rhywle. Ond nid oedd yn gallu gweld arwydd fod neb wedi llithro yn unman. Rhoddodd ochenaid o ddiolch. Roedd yn sicr nad oedd Luned wedi boddi, er bod ei chlogyn yn nofio ar wyneb y llyn, sut bynnag yr aeth i'r fan honno. Ond ble oedd Luned, tybed? Dyna oedd y cwestiwn mawr. Am ryw reswm neu'i gilydd, roedd dyn Plas Crafnant wedi dweud celwydd wrtho ac wedi ceisio gwneud iddo feddwl bod Luned wedi boddi. Roedd yn bosibl felly ei bod yn garcharor yn rhywle yn y plasty, neu byddai wedi'i gweld cyn hyn. Ei waith o, rŵan, oedd ceisio darganfod ble roedd hi ac yna ei chael oddi yno.

Ond sut?

Llithrodd Rhys i mewn i'r goedwig a cherddodd yng nghysgod y coed o amgylch waliau'r plasty, gan graffu'n ddyfal i bob cyfeiriad a gwrando am y smic lleiaf o sŵn. Ond nid oedd neb i'w weld na'i glywed. Daeth at un o'r tyrau ac edrychodd yn fanwl ar bob ffenest a oedd â hollt saeth. Ond roedd pobman mor dawel â'r bedd, a dim i'w weld ond haul y bore'n tywynnu ar y waliau llwyd. Wrth iddo gerdded yn ei flaen yn araf, gafaelodd draenen yng ngwaelod ei glogyn, ac wrth blygu i'w thynnu, gwelodd rywbeth â gwawr goch arno yng nghanol y mieri, bron o'r golwg yng nghanol y tyfiant gwyllt. Aeth i ganol y drain, a gwelodd mai darn o ddefnydd patrymog oedd hwn, wedi'i rwymo am garreg. Darn o'i wregys ef ei hun!

Roedd yn gwybod ar unwaith beth oedd wedi digwydd, a bron iddo roi bloedd fuddugoliaethus o lawenydd. Roedd yn wir! Roedd Luned yn garcharor yn y plasty, yn yr ystafell uchaf, yn ôl pob tebyg. Byddai wedi gwthio rywsut rhwng y bariau a'i gollwng ei hun i ben y coed pe byddai mewn ystafell is. Ni fyddai gwneud hynny, waeth pa mor beryglus fyddai, yn ddim ond chwarae plant iddi hi.

Edrychodd Rhys yn hir ar yr hollt hirgul a'r bar haearn arni. Ond nid oedd siw na miw i'w glywed yn unman. Aeth mor agos ag y gallai at y wal.

"Luned! Luned!" meddai. "Wyt ti yna?"

Ond er iddo wrando'n astud nid oedd neb yn ateb na dim yn torri ar y distawrwydd ond ci yn cyfarth ac ŵyn yn brefu yn y pellter. Roedd Rhys yn ofni codi ei lais yn uwch rhag ofn bod rhywun yn yr ystafelloedd islaw ac y byddent yn ei glywed.

Daeth ias o ofn i'w galon. Tybed a oeddent wedi symud Luned o'r tŵr a'i rhoi yn rhywle arall?

Nid oedd munud i'w golli. Roedd yn rhaid gwneud rhywbeth ar unwaith. Os oedd Luned yn y tŵr, roedd yn rhaid cael cymorth i'w chael oddi yno. Ond o ble? Nid oedd gobaith i neb yn y cyffiniau helpu gan eu bod i gyd yn denantiaid i Merfyn Goch ac yn byw ar ei stad. Ond roedd yn rhaid gwneud rhywbeth heblaw sefyll fel hyn dan y tŵr yn synfyfyrio. Yn sydyn, meddyliodd am gynllun. Pe bai'n cael ychydig o linyn a chortyn go gryf gallai achub Luned heb gymorth neb, efallai.

Trodd ar ei sawdl a brysiodd o'r goedwig. Cerddodd yn gyflym trwy'r rhedyn tal a'u hymylon yn dechrau melynu, i fyny'r allt serth a a oedd yn gwarchod llynnoedd Crafnant a Geirionnydd. Ar ôl cyrraedd ei chopa, gwelodd ffermdy helaeth mewn pant islaw iddo a dyn yn tywys gwedd o ychen mewn cae gerllaw. Roedd gan y dyn raff hir o gwmpas pennau'r ychen a brysiodd Rhys ato.

"Oes gennych chi ychydig o linyn fedrwch chi ei roi i mi," gofynnodd, "a rhaff go hir? Mi dalaf i chi amdano," ychwanegodd gan dynnu darn o arian o'i boced a'i ddangos i'r dyn. "Dyma i chi fwy o lawer na gwerth yr hyn sydd arna i ei eisio."

Edrychodd y dyn arno'n syn.

"O ble doist ti? Be wnei di â nhw?" gofynnodd.

"Waeth i mi ddeud, mwy na pheidio," meddai Rhys. "Fy mrawd sydd wedi cael ei garcharu gan Merfyn Goch yn nhŵr Plas Crafnant ac rydw i am drio ei gael oddi yno."

Newidiodd yr olwg ar wyneb y dyn. "Merfyn Goch, ddwedaist ti?" meddai â'i lais yn llawn dicter. "Merfyn Ddu wyt ti'n feddwl! Mae ei galon cyn dded â'i wallt. Awr dywyll iawn oedd hi i mi ac i rai eraill ar y stad yma pan laddwyd Caradog ab Merfyn Goch gan fradwr ac i hwn etifeddu'r stad. Ac mae gan rai ohonon ni syniad go dda pwy oedd y bradwr, hefyd! Mae hi'n sarhad ar hil Merfyn Goch fod y fath un â hwn wedi meiddio cymryd yr enw. Ond Merfyn Ddu mae pawb y ffordd yma yn ei alw. Be wnaeth i dy frawd i bechu yn ei erbyn?"

"Dim o gwbl, hyd y gwn i. Dyna sy'n rhyfedd," meddai Rhys. "Troi i mewn i ofyn am gysgod o'r niwl wnaethon ni neithiwr, ac am ryw reswm, mae wedi'i gau mewn stafell yn y tŵr. Ond does dim amser i'w golli. Oes gennych chi linyn a rhaff i'w gwerthu?"

"Mi gei di nhw â phleser. Mi fyddwn i'n dŵad i roi help llaw i ti, ond mi fyddai'n ddigon am fy mywyd i pe bai rhywun yn ein gweld. Arhosa yma efo'r ychen, mi af i nôl rhaff wellt gref i ti. Mae'n bleser gen i gael dy helpu. Ond er mwyn popeth, bydd yn ofalus. Dydi bywyd yn werth dim yng ngolwg y dyn yna."

Brysiodd am adref a daeth yn ei ôl yn fuan iawn gyda'r rhaff. Nid oedd hi'n bosibl ei berswadio i gymryd tâl, er i Rhys wneud ei orau. Nid oedd dim y gallai'r bachgen ei wneud ond diolch iddo, ffarwelio, a phrysuro'n ôl am Blas Crafnant â'r rhaff o dan ei glogyn.

Ciliodd i gysgod y coed ar ôl cyrraedd cyffiniau'r plas a cherddodd i'r fan lle gwelodd y garreg wedi'i lapio yn y defnydd patrymog.

Edrychodd i fyny at y tŵr, ond nid oedd dim i'w weld yn unman nac i'w glywed. Yna, estynnodd y bwa a roddodd ei dad iddo ar fynydd Pumlumon, a rhwymodd y darn llinyn wrth un o'r saethau. Safodd draw ychydig oddi wrth y tŵr a theimlai ias gynhyrfus o ddychryn yn rhedeg trwy ei wythiennau wrth feddwl am y perygl roedd Luned ynddo y funud honno. I wneud pethau'n waeth, roedd hwnnw yn berygl oddi wrth ei saeth ef ei hun. Roedd yn gallu clywed ei galon yn curo'n wyllt a thrwm wrth iddo ddal ei anadl. Beth pe bai'r saeth yn taro Luned, os oedd hi yn yr ystafell? Ond roedd yn rhaid mentro.

Anelodd at yr hollt a saethodd. Ond roedd ei law yn crynu a disgynnodd y saeth yn ôl. Anelodd eto, a'r tro yma aeth y saeth, a'r llinyn yn rhwym wrthi, yn syth i mewn trwy'r hollt hirgul a oedd ym mhen ucha'r tŵr. Safodd Rhys fel pe bai wedi'i barlysu gan ofn clywed gwaedd o boen yn dod o'r ystafell. Ond nid oedd yr un smic o sŵn i'w glywed yn unman.

Ymhen rhyw funud neu ddau teimlodd y bachgen y llinyn yn ei law yn tynhau ac yn cael ei dynnu'n ara' deg i fyny i'r ystafell. Roedd yn gwybod ar unwaith fod Luned yno a'i bod, fel arfer, wedi deall i'r dim yr hyn yr oedd disgwyl iddi ei wneud.

Rhwymodd Rhys y rhaff gref yn dynn wrth y llinyn a gwyliodd y llinyn yn codi'n uwch, uwch a'r rhaff yn dilyn nes iddi o'r diwedd gyrraedd yr hollt.

Yna gwelodd ben coch, cyrliog Luned yn ymddangos

rhwng y bariau, a'r bysedd medrus yn rhwymo'r rhaff yn dynn wrth yr haearn. Wedyn gwelodd hi'n gwthio drwy'r bariau ac yn gafael â'i dwy law yn y rhaff. Daliai'r bachgen ei anadl wrth iddi ei gwylio yn ei gollwng ei hun oddi ar garreg y ffenest i wacter. Roedd ei phwysau'n gyfan gwbl ar y rhaff rhwng ei dwylo, a'r rhaff honno'n siglo fel petai mewn storm o wynt. Am eiliad siglai'r eneth yn ôl a blaen gyda'r rhaff. Yna dechreuodd lithro i lawr, y naill law heibio'r llall, nes iddi o'r diwedd gyrraedd brigau'r coed derw, yna'n gyflym i lawr ac i freichiau Rhys.

"Rhys," meddai, a'i llygaid glas yn llawn dagrau. "Roeddwn yn gwybod yn iawn y byddet ti yn fy achub."

Ni ddywedodd Rhys yr un gair. Trodd ei ben draw. Roedd dagrau yn ei lygaid yntau hefyd, ac nid oedd am i Luned eu gweld am bris yn y byd.

Pennod 18

"Tyrd," meddai Rhys, â'i lais yn gryg. "Does dim munud i'w golli."

"Ffordd awn ni, Rhys?" gofynnodd Luned, â'i gwynt yn ei dwrn.

"Yn ein blaenau," meddai yntau. "Mae'n haws teithio. Waeth i ble'r awn ni, does dim posib i ni fynd i fwy o berygl nag y buom ynddo yn y fan yma. Os daliwn ni i fynd y ffordd yma, mi ddylem fod yn Nyffryn Conwy cyn hir. Fedri di redeg?"

"Medraf," oedd yr ateb parod.

Rhedodd y ddau fel y gwynt, heibio i ffermdai cymharol wasgarog, nes gadael Plas Crafnant ymhell ar ôl. Yna, cerdded yn fwy hamddenol gan ddal i edrych dros ysgwydd yn fynych, i fod yn siŵr nad oedd neb yn eu dilyn. Roedd llawer o greigiau a rhedyn yn y wlad yma, ond roedd yn ddigon hawdd dilyn y llwybr defaid igam-ogam rhwng gwrychoedd trwchus a oedd yn rhedeg i lawr y dyffryn.

"Wyt ti'n gweld yr afon yna?" meddai Rhys. "Dyna afon

Conwy. Mi wn i'n iawn ble rydan ni rŵan. Y cwbl mae'n rhaid ei wneud yw dilyn yr afon."

Daethant o'r diwedd i Gonwy ac at y castell gyda'i dyrau crwn a'i amddiffynfeydd cadarn yn ymestyn hyd at ewyn tonnau'r môr.

"Biti i Wiliam ap Tudur o Fôn a Rhys, ei frawd, orfod ildio'r castell, yntê?" meddai Rhys. "Doedd hi ddim yn bosib iddyn nhw ei ddal yn hir iawn heb ddigon o ddynion, wel'di," ychwanegodd yn ddoeth. "Ond fydd hi ddim yn hir iawn, mi gei di weld, na fydd baner y ddraig yn chwifio eto o'r tyrau acw. Sbia mor gadarn ydi'r waliau!"

Ar ôl gadael Conwy, dilynodd y ddau lannau'r môr. Roeddent yn gwybod yn awr eu bod yn mynd i gyfeiriad eu cartref. Cawsant lawer o garedigrwydd mewn aml i fwthyn ar y ffordd. Ond nid aeth y ddau yn agos i gastell na phlasty, gan ddewis cysgu'r noson honno mewn ffermdy ar lannau afon Menai.

Wrth fynd ymlaen ar eu taith drannoeth, yr un testun oedd i'r sgwrs ym mhob tŷ a bwthyn.

Tybed a allai'r Tywysog arwain ei genedl i ryddid? Pryd byddai'r diwrnod hapus hwnnw'n dod? Am faint y byddai'n rhaid iddynt aros cyn gweld baner y ddraig euraid yn chwifio ar bob castell o Gaergybi i Gaerdydd? Pa hyd? Pa hyd?

Roedd yn nos wrth iddynt gyrraedd Bwlch yr Eifl, ac er bod yr hafn yn dywyll, nid oedd unman ar y ddaear mor annwyl i Rhys a Luned. Pan ddaethant i Gastell Gwrtheyrn roedd Modryb a Gwen yn eu gwelyau, ond buan iawn y cododd y ddwy. Daethant i'r neuadd i roi croeso i'r ddau, a rhoddodd Modryb bwniad i'r tân mawn a oedd yn llosgi'n fud ar yr aelwyd. Ni fyddai hwn byth yn cael ei ddiffodd, ac yn fuan iawn roedd Rhys a Luned yn bwyta ac yn adrodd tipyn o hanes yr hyn a ddigwyddodd ym Mhumlumon ac ar ôl hynny.

"Mi gei di fynd i dy wely rŵan, Rhys, a chysgu yno am wythnos gron, gyfan fel y dywedaist ti ar y daith," meddai Luned, ar ôl i Modryb a Gwen fod yn wylo a chwerthin a rhyfeddu wrth wrando ar y stori.

"Modryb," meddai Rhys yn sydyn. "Ydi hi'n rhy hwyr i mi gael gair â'r dyn diarth? Mi fydd yn falch o gael gwybod bod y llythyr wedi cyrraedd pen ei daith yn ddiogel. Sut mae o'n dod ymlaen?"

"Dod ymlaen, wir!" meddai Modryb yn chwyrn. "Mae o wedi hen fynd oddi yma. Mi fynnodd gael mynd, yn do, Gwen?"

"I ble?" gofynnodd Rhys a Luned bron ar yr un anadl.

"I Iwerddon," meddai Modryb yn swta. "Mi ddaeth Iwan Brochan yma o Nefyn ryw brynhawn a digwyddodd ddeud bod llong yn hwylio o Borthdinllaen am Iwerddon y diwrnod hwnnw. Roedd drws y dyn diarth yn digwydd bod yn agored ac mi glywodd Iwan Brochan yn siarad. Welaist ti'r fath gynnwrf erioed! Doedd byw na bod na fyddai'n cael cychwyn am Borthdinllaen y funud honno, ac mi fynnodd gael mynd hefyd. Mi gafodd ei gymryd ar fwrdd y llong, ac mae o yn Iwerddon bellach, am wn i."

"Sut oedd o'n gallu symud?" rhyfeddodd Rhys. "Mae'n siŵr nad oedd ei anafiadau mor ddrwg neu fyddai o byth wedi medru symud."

"Symud i ti, wir," meddai Modryb. "Taw â sôn. Fedrai'r

dyn ddim goddef rhoi ei droed ar lawr, heb sôn am symud. Ond roedd o'n benderfynol o fynd a doedd dim i'w wneud ond cael help o'r pentre i'w gario. Mi fu'n rhaid i ni anfon am Gruffydd Rhydiog yma ar unwaith at Iwan Brochan i'w gario i lawr i'r traeth, yn union fel y daeth o yma ac mi gafwyd cwch i fynd ag o i Borthdinllaen. Roedd yn ddigon am ei fywyd, wel'di, ond roedd yn benderfynol. Roedd yn rhaid cael mynd. Roedd ganddo ddigon o arian, ac mi dalodd yn dda i'r dynion, rhaid cyfadde."

"Ydach chi'n siŵr mai i Iwerddon roedd y llong yn mynd ac nid i'r Alban?" gofynnodd Rhys.

"Beth sydd ar ben y bachgen yn dal i rygnu arni?" meddai Modryb yn ddiamynedd. "Ydw, rydw i'n berffaith siŵr mai i Iwerddon roedd hi'n mynd, ta waeth am hynny. Gofyn i Gruffydd Rhydiog, os nad wyt ti'n credu. Mi fuasai rhywun yn meddwl dy fod di'n gwybod am symudiadau'r dyn yn well na fo 'i hun, a'i fod yn fater pwysig i ti p'run ai i Iwerddon neu i'r Alban roedd o'n mynd. Petai o'n mynd i'r lleuad, fyddai hynny'n gwneud 'run gronyn o wahaniaeth i ti. Dos i dy wely, da ti, a dos dithau hefyd, Luned."

"O'r gorau, Modryb," meddai Luned yn ufudd, gan gychwyn i gyfeiriad y drws a Rhys yn ei dilyn.

"Diolchwch, fy mhlant annwyl i, eich bod wedi cael dod yn ôl i'ch cartref tawel yn ddiogel!" galwodd Modryb ar eu hôl wrth iddynt fynd allan o'r ystafell.

Ychydig a feddyliai Modryb Modlen mor fuan y byddai'r tawelwch yr oedd yn teimlo mor sicr amdano yn mynd i droi'n derfysg yng Nghastell Gwrtheyrn.

Pennod 19

Un noson wlyb, a'r gwynt yn chwythu'n gryf o'r môr, daeth rhywun i guro'n drwm ar ddrws Castell Gwrtheyrn. Roedd Modryb Modlen wrthi'n brysur yn gwneud pasteiod ar y pryd, ond gadawodd hwy ar unwaith i fynd i agor y drws. Roedd crythor yn sefyll yno, yn gofyn am lety.

"Dewch i mewn, dewch i mewn," gwahoddai Modryb. "Pob croeso i chi i Gastell Gwrtheyrn."

"Rydw i wedi bod yma o'r blaen," meddai'r crythor, "ac yn adnabod Huw Fychan yn dda. Rydw i wedi bod yn canu yn ffair Nefyn. Yn wir, nid dyma'r tro cynta i mi fod yn ffair Nefyn. Y tro diwethaf roeddwn i yno, roeddwn i'n gallu gweld. Ond y tro yma mi roedd yn rhaid i mi ofyn i ryw ddyn oedd yn digwydd bod ar ei ffordd i'r Nant i fy nhywys i yma."

Roedd Rhys wedi dod i'r golwg erbyn hyn, ac wrth iddo afael yn llaw'r crythor i'w dywys i'r ystafell, gwelodd fod gorchudd am ei lygaid.

"Mi gewch chi bob croeso allwn ni ei roi i chi," meddai Rhys wrtho. "Rydw i'n gwybod o brofiad beth yw cael caredigrwydd pan fydda i ar daith. Rydw i'n credu i mi eich gweld chi yma o'r blaen, pan oeddwn yn fachgen bach. Ond mae cymaint o feirdd a chrythorion wedi ymweld â ni ers hynny, mae'n anodd iawn cofio."

"Mae gen ti gof da," atebodd y crythor. "Doeddwn i ddim yn ddall y pryd hwnnw ac rydw i'n cofio'r bachgen bach â'r llygaid tywyll yn iawn."

"Chawson ni neb yma i ganu nac i'n difyrru ers amser maith," meddai Gwen. "Ydi hi'n wir bod brenin Lloegr wedi pasio deddf i rwystro'r baledwyr a'r cantorion rhag crwydro'r wlad a chanu yn y ffeiriau?"

"Eitha gwir," meddai'r crythor. "Ac mae wedi mynd yn reit gyfyng arnon ni efo'r deddfau caeth yma. Mae'n debyg fy mod wedi torri'r ddeddf wrth ddod o gwmpas fel hyn. Ond wnes i ddim treulio llawer o amser yng nghanol y ffair a'r ffald heddiw."

"Peth rhyfedd i neb feddwl am basio deddf mor ffôl," meddai Gwen. "Beth oedd y rheswm, tybed?"

"Dweud y maen nhw fod yr haint ac afiechydon eraill yn cael eu cario o le i le gennyn ni'r crwydriaid," meddai'r crythor. "Mae rhai'n credu bod y Pla Du wedi ymledu felly, ryw hanner can mlynedd yn ôl."

"Esgus gwael," meddai Rhys. "Y gwir reswm yw eich bod chi'r beirdd yn canu caneuon rhy wladgarol o lawer, ac yn deffro'r bobl ac achosi iddyn nhw gefnogi'r Tywysog yn fwy byth. Ond dowch, mae Modryb wedi rhoi bara a chig yn barod ar y bwrdd."

Roedd yn rhaid bod Rhys wedi mynd i gysgu'n fuan iawn y noson honno. Ond cafodd ei ddeffro ganol nos gan leisiau

Luned a Gwen yn galw arno wrth ddrws ei ystafell. Roedd y genethod yn cysgu yn yr un ystafell.

"Be sy?" holai'r bachgen, yn hanner effro.

"Ust, taw!" sibrydodd Gwen. "Rho dy ddillad amdanat, a thyrd yma." Ufuddhaodd Rhys, a daeth allan o'i ystafell.

"Be sy?" gofynnodd eto, braidd yn groes. Nid oedd cwsg wedi'i adael yn llwyr.

"Gwranda, Rhys," meddai Luned. "Roedd eisio diod ar Gwen, ac roedd arni ofn codi i fynd allan i nôl dŵr o'r ffynnon, a doedd yna ddim diferyn yn y tŷ. Mi godais innau a mynd allan i nôl peth iddi. A wyddost ti be welais i yng ngolau'r lleuad?"

"Be?"

"Dyn yn cerdded yn wyllt heibio'r ffynnon ac i lawr yr allt i gyfeiriad y Nant. A wyddost ti pwy oedd o, Rhys?"

"Pwy?" Roedd Rhys yn hollol effro erbyn hyn.

"Y crythor! Dydi'r dyn yna ddim yn ddall, neu fyddai fo byth yn medru mynd i lawr drwy'r grug a'r eithin mân a'r creigiau mor gyflym. Be fyddai orau i ni ei wneud, Rhys?"

"Mynd i'w ystafell yn gynta rhag ofn dy fod yn gwneud camgymeriad," meddai Rhys. "Arhoswch yma am funud, eich dwy."

Daeth y bachgen yn ôl bron ar unwaith. "Mae'r ystafell yn wag," meddai. "Mae rhyw fwriad drwg gan y dyn yna. Rydw i am ei ddilyn."

"Mi ddof i efo chdi," meddai Luned ar unwaith. Ond cilio'n ôl a wnaeth Gwen. Roedd gormod o ofn arni hi.

Roedd hi'n noson olau leuad pan aeth y ddau allan, ac nid oedd dim yn tarfu ar y tawelwch ond siffrwd adenydd ambell aderyn nos. Ond roedd y crythor wedi mynd o'r golwg i lawr yr allt. Rhedodd Rhys a Luned ar ei ôl, gan lithro o graig i graig yn heini. Toc, dyma'r ddau yn ei weld yng ngwaelod y Nant yn mynd tuag at y bwthyn roedd Luned yn ei adnabod mor dda. Yma y bu Nain a hithau'n byw, ond erbyn hyn nid oedd neb yn gofalu amdano. Gwelodd Rhys a Luned y crythor yn brasgamu at y drws ac yn ymdrechu tipyn gyda'r bar rhydlyd. Yna, aeth i mewn, gan gau'r drws ar ei ôl.

Yn araf a gofalus, llithrodd Rhys a Luned i gyfeiriad y bwthyn.

"Be pe bai o'n dod allan yn sydyn ac yn ein gweld ni?" gofynnodd Luned, a'i llygaid wedi'u hoelio ar y bwthyn.

"Rhaid i ni fentro," oedd yr ateb. "Mae 'na ddigon o greigiau y medrwn ni guddio yn eu cysgod os gwelwn ni'r drws yn agor."

Ond cyrhaeddodd y ddau'r tŷ heb weld arwydd o gwbl fod yr ymwelydd llechwraidd am ddod allan.

Nid oedd llen na chysgod o fath yn y byd ar y ffenest. Yn wir, nid oedd ond twll gwag erbyn hyn, ac edrychodd Luned i mewn. Er ei syndod, roedd hi'n gallu gweld y crythor, yng ngolau'r lleuad, ar ei liniau'n ymbalfalu tua'r aelwyd. Roedd ei gefn atynt ac roeddent yn methu dyfalu beth roedd yn ceisio'i wneud. Ond o'r diwedd rhoddodd floedd o lawenydd.

"Dyma fo!" meddai'n uchel. "Pwy fuasai'n meddwl ei gael mewn lle fel hyn!"

Clywodd y ddau wyliwr sŵn tincian, ond dim ond cefn y crythor roeddent yn gallu'i weld. Cododd, ac eiliad yn unig gymerodd Rhys a Luned i benderfynu mai'r peth doethaf oedd mynd adre o'i flaen, a pheidio â chymryd arnynt eu bod wedi'i weld.

"Mae'n rhaid i mi gael gwybod be sydd ganddo fo," meddai Rhys yn benderfynol. "Mi fydd yn siŵr o'i gadw yn ei stafell. A'r tro nesa y bydd o'n mynd allan, mi af yno i chwilota."

"Be sy ar bawb y dyddiau yma, yn gwneud pethau mor hurt?" meddai Luned. "Dyna i ti'r Merfyn Goch yna yn fy nghloi i yn y tŵr am ddim byd, a'r porthor hwnnw'n rhedeg fel dyn o'i go heb reswm o gwbl. A rŵan, dyma hwn eto yn cymryd arno ei fod yn ddall, ac yntau'n gallu gweld cystal â thi a minnau."

Daeth cyfle Rhys i chwilio yn ystafell y crythor yn gynt nag yr oedd wedi'i feddwl. Bore drannoeth, dywedodd y dyn wrth Modryb Modlen ei fod am ymadael y diwrnod hwnnw. Crefodd hithau arno i aros am ychydig ddyddiau, ond gwrthododd yntau'n bendant. Eisteddai'n hamddenol wrth y tân yn dweud storïau a Modryb yn eistedd gyferbyn ag ef.

Gwelodd Rhys ei gyfle a rhoddodd arwydd distaw i Luned iddi aros yn y gegin i wylio. Nodiodd hithau arno. Roedd wedi deall. Roedd hi'n gwybod bod Rhys yn disgwyl iddi ei rybuddio pe bai'r crythor yn codi.

Aeth y bachgen allan o'r gegin ac ar ei union yn ddistaw bach am ystafell yr ymwelydd. Chwiliodd bob twll a chornel, ond methodd weld dim byd gwahanol i'r arfer yn unman. Pan oedd ar fin troi oddi yno yn siomedig daeth syniad newydd i'w feddwl. Roedd heb archwilio un guddfan. Camodd at y lle tân a gwthiodd ei fraich yn araf, ofalus, i fyny'r simdde.

Teimlodd Rhys ei fysedd yn cyffwrdd rhywbeth tebyg i focs ac fe'i tynnodd i lawr yn ofalus. Bocs oedd hwn, yn wir, ac aeth Rhys ati i'w agor yn eiddgar. Roedd yn llawn aur melyn!

Pennod 20

Cynhyrfodd Rhys drwyddo pan welodd yr aur. Nid oedd yn gwybod yn iawn beth roedd yn disgwyl ei weld, ond yn sicr nid oedd wedi disgwyl gweld aur. Nid oedd y crythor yn ddim byd gwell na lleidr. Roedd wedi dod i wybod rywsut fod gan Nain druan dipyn o arian wedi'i guddio o dan garreg yr aelwyd ac wedi penderfynu ei ddwyn. Dyna'r eglurhad syml ar y cyfan.

Roedd Rhys rhwng dau feddwl beth i'w wneud. Luned oedd piau'r arian, gan nad oedd gan Nain neb ond yr eneth. Ond roedd yn gwybod na fyddai Luned yn cyffwrdd ynddo heb fod yn berffaith sicr mai arian Nain oedd hwn. Na, y peth doethaf i'w wneud oedd ei roi yn ôl yn y simdde a gofyn i Luned beth fyddai orau i'w wneud.

Aeth o'r ystafell i'r gegin. Roedd y crythor yno o hyd, a'r cysgod dros ei lygaid, yn diddori Modryb a Gwen. Roedd ddwy'n gwrando arno'n astud ac roedd yn amlwg ar eu hwynebau eu bod yn mwynhau ei gwmni. Roedd Luned yn brysur yn paratoi bwyd a rhoddodd Rhys arwydd iddi ei ddilyn allan o'r tŷ.

"Mi wnest yn iawn, Rhys," meddai, pan adroddodd yr hanes wrthi. "Does arna i ddim eisio'r arian. Mae'r dyn yn dlawd. Gad iddo eu cael. Paid â beio gormod arno."

Ffarweliodd y crythor â hwy y prynhawn hwnnw, ac ni chymerodd yr un o'r ddau arnynt eu bod yn gwybod am y trysor yr oedd yn ei gario.

Dyna oedd testun sgwrs y ddau y noson honno wrth dân y neuadd. Roedd Modryb a Gwen wedi mynd i'w gwelyau a chafodd Rhys a Luned gyfle i sgwrsio.

"Wyddost ti be, Rhys," meddai Luned gan droi'r stori'n sydyn. "Mi fu'n agos i ti roi dy droed ynddi wrth holi cymaint ar Modryb ynghylch y dyn diarth 'na. Rydw i'n siŵr mai Dafydd ap Ieuan Goch oedd o. Wyt ti'n eu cofio nhw'n sôn ym Mhumlumon ei fod o a rhai eraill yn gwibio rhwng Owain Glyn Dŵr a thywysogion yr Iwerddon a'r Alban? Weli di'r cyfle gafodd o pan ddaeth Iwan Brochan â'r newydd fod llong yn hwylio o Borthdinllaen? Ond y crythor sydd wedi fy siomi i yn fwy na neb. Feddyliais i erioed mai un fel yna oedd o. Dangos i mi lle cuddiodd o'r bocs, Rhys."

Aeth y ddau i ystafell y crythor, a cheisiodd Rhys ddangos y man yn nhywyllwch y simdde.

"Ar garreg y tu mewn i'r simdde roedd o," meddai. "Mae hi i'w gweld yn blaen, ond i ti graffu. Aros funud," meddai wedyn yn sydyn, "mae 'na rywbeth arni!"

Gwthiodd Rhys ei fraich i fyny'r simdde, a thynnodd focs i lawr. Edrychodd arno'n syn, a'i agor. Roedd yn llawn aur melyn.

"Wel, dyma'r peth rhyfedda welais i erioed!" meddai. "Dyma'r bocs gafodd y crythor o dan garreg yr aelwyd yn nhŷ dy nain heb ei gyffwrdd! Mae wedi'i adael ar ôl! Pa synnwyr sy mewn peth fel hyn?"

"Wn i ddim, wir. Ac mae o'n llawn o aur. Mae'r dyn heb fynd â dim ohono fo," meddai Luned mewn syndod gan ddal i graffu ar y bocs. "Ond efallai ei fod o'n bwriadu dod yma i'w nôl o rywdro eto. Rho fo'n ôl yn y simdde, Rhys."

"Efallai'n wir," meddai yntau'n araf ac amheus wrth ufuddhau. Ond ni allai yn ei fyw feddwl am esboniad arall.

Llithrodd y dyddiau heibio fel arfer yng Nghastell Gwrtheyrn heb lawer o ddim i dorri ar y tawelwch. Roedd Rhys a Luned wedi penderfynu na fyddent yn sôn wrth neb am yr aur cudd ac yn raddol ciliodd o'u meddyliau, er ei fod yn mynnu dychwelyd i'w cof ar ysbeidiau rŵan ac yn y man. Ond rhyw fath o dawelwch o flaen y storm oedd y tawelwch hwn.

Un min nos, a'r haul yn machlud yn goch yn y môr, rhedodd Luned i'r tŷ a'i llygaid glas yn llawn dychryn.

"Rhys! Rhys! Ble rwyt ti?" llefodd. "Gwranda! Roeddwn i wedi mynd am dro bach ar hyd y llethrau ac mi welais i ddynion yn dod i'r cyfeiriad yma ar gefn ceffylau. Mi ddechreuais i redeg i'w cyfarfod gan feddwl y gallai Meistr a Dafydd fod yn dod adref. Ond beth welais i ond wyneb y Merfyn Goch hwnnw, o Blas Crafnant! Rhys! Rhys! Be wnawn ni?"

"Ble maen nhw?" gofynnodd yntau.

Cafodd ateb yn sydyn gan guro brwd ar y drws. Penderfynodd Rhys beth i'w wneud mewn eiliad. Roedd wedi amau, ar ôl digwyddiadau Crafnant, fod gan Merfyn Goch ryw reswm mawr dros gael Luned o'r ffordd.

"Tyrd," meddai'n frysiog gan redeg at y gist ym mhen draw'r neuadd.

Agorodd y caead a chododd y gwaelod, yn union fel y gwnaeth ei dad y noson cyn iddo ymuno â byddin Glyn Dŵr.

"Dos i lawr, Luned," gorchmynnodd yn frysiog. "Mae yna risiau. Dos i lawr y grisiau ac mi fyddi di mewn ogof a chwch ynddi. Paid â symud oddi yno nes i mi ddod i dy nôl di."

Ufuddhaodd Luned ar unwaith. Heb un mymryn o ofn na phetruster, aeth o'r golwg trwy waelod y gist a chaeodd Rhys y clawr yn gyflym ar ei hôl. Nid oedd ond newydd fachu'r caead pan ruthrodd nifer o ddynion i mewn i'r ystafell, a Merfyn Goch yn eu plith.

"Ble mae'r eneth bengoch ddaeth i mewn i'r tŷ yma ryw funud yn ôl?" gofynnodd yn awdurdodol. "Waeth i ti heb â cheisio'i chuddio. Mae'n rhaid i mi ei chael!"

"Does gennych chi ddim hawl yn y byd ar eneth o'r fan yma," meddai Rhys yn dawel. "Os mai dod i chwilio am y bachgen ddaru chi garcharu ym Mhlas Crafnant yr ydach chi, mae eich neges yn ofer. Dydi'r bachgen ddim yma."

"Bachgen, wir!" meddai Merfyn Goch yn goeglyd. "Petai'n fachgen fyddai gen i ddim rhithyn o hawl arno. Na – chwilio am yr eneth bengoch a oedd efo chdi ym Mhlas Crafnant rydan ni. Yr eneth redodd i'r tŷ pan welodd hi ni'n dod. Mae'n rhaid i mi ei chael. Fi ydi ei pherthynas agosaf hi, ac am ei bod hi'n dal i fod yn ferch ifanc, fy nghyfrifoldeb i yw hi."

"Rydach chi'n dangos eich perthynas mewn ffordd ryfedd iawn," meddai Rhys yn wawdlyd. "Ond unwaith eto, dydi hi ddim yma."

"Rydw i mor sicr ei bod hi yma ac rydw i dy fod dithau yma. Mi redodd i'r tŷ yma o'n blaenau ni. Doedd dim modd i neb gamgymryd y pen fflamgoch yna," meddai Merfyn Goch yn ffyrnig.

Yna trodd at ei ddynion. Roeddent yn sefyll yn y cefndir, yn aros am ei orchymyn. "Chwiliwch y tŷ o'i ben i'w waelod!" gwaeddodd. "Mae digon o leoedd i guddio ynddyn nhw mewn hen honglad o le fel hwn."

Eisteddai Modryb a Gwen yn y gegin. Roeddent wedi'u dychryn gormod i symud, wrth i'r dynion fynd i bob cyfeiriad, a'r ddwy yn methu'n lân â deall beth oedd achos y cynnwrf. Nid oedd dim byd fel hyn erioed wedi digwydd o'r blaen i dorri ar dawelwch ac undonedd bywyd yng Nghastell Gwrtheyrn. Roeddent yn methu deall pwy oedd y dynion a oedd yn rhuthro mor ddiseremoni i bob ystafell, na beth oedd wedi digwydd i Luned. Felly, pan holwyd hwy gan yr uchelwr, ar boen cosb drom os na fyddent yn dweud y gwir, roeddent yn gallu ateb yn eithaf gonest nad oeddent yn gwybod o gwbl ble roedd yr eneth.

Chwiliwyd pob twll a chornel o'r tŷ, ond nid oedd sôn amdani yn unman.

"Mae hi'n siŵr o fod yn y tŷ yma yn rhywle," taerai Merfyn Goch, "ac mi fynnaf ddod o hyd iddi petai rhaid i mi aros yma am wythnos gron, gyfan. Does yr un ohonon ni'n mynd i symud oddi yma hebddi, ac felly waeth iddi ildio yr eiliad hon, achos ildio fydd raid. Mi wnawn ni aros yma heno a chaiff dau fod yn wylwyr. Mi welais yr eneth yn rhedeg i mewn â'm dau lygad fy hun. Does ond un bengoch fel yna trwy'r holl wlad, gwaetha'r modd." A fflachiodd llygaid creulon Merfyn Goch fel mellt.

Drannoeth bu'r dynion yn chwilio yn y twmpathau, y gwrychoedd a'r Nant islaw, rhag ofn fod yr eneth wedi llwyddo i ddianc rywsut o'r tŷ, ac yn cuddio. Ond nid oedd olwg ohoni yn unman.

Yn sydyn, cofiodd Merfyn Goch fod Rhys yn sefyll â'i gefn yn erbyn cist dderw pan ruthrodd ef i mewn i'r tŷ. Tybed a oedd gan y gist rywbeth i'w wneud â'r diflaniad? Roeddent wedi agor y gist wrth archwilio'r tŷ, ac roedd yn wag. Eto, ni allai'r eneth fod wedi medru cyrraedd lawer iawn pellach gan eu bod wrth ei sawdl.

Agorodd Merfyn Goch y gist unwaith eto a chraffodd yn fanwl y tu mewn iddi. Yna rhedodd ei fysedd dros y gwaelod, a chyffyrddodd â'r bachyn haearn. Rhoddodd floedd uchel o lawenydd, a rhedodd ei ddynion ato.

Yn fuan, roedd gwaelod y gist yn ddrws agored unwaith eto a'r dynion yn camu'n bendramwnwgl iddi, y naill ar ôl y llall.

Pennod 21

Aeth Rhys yn oer fel talp o rew pan welodd fod Merfyn Goch wedi dod o hyd i Ogo'r Morlo. Roedd popeth ar ben yn awr. Nid oedd gobaith y medrai ef, ar ei ben ei hun, drechu hanner dwsin o ddynion cryf Merfyn Goch.

Gallai wneud un peth, fodd bynnag. Medrai fynd i lawr i'r ogof, ac ymdrechu hyd farw. Gallai gwaeth pethau ddigwydd iddo na marw gyda Luned bengoch. Roedd yn gwybod yn eithaf da na fyddai Luned byth yn ildio i Merfyn Goch – byddai'n well ganddi farw na syrthio i ddwylo creulon perchennog Plas Crafnant.

Llithrodd Rhys yn gyflym ar ôl y dynion i'r ogof.

Pan gyrhaeddodd y gwaelod, gwelodd Merfyn Goch a'i ddynion yn edrych mewn penbleth ar ei gilydd, ac nid oedd sôn am Luned. Gwyddai'r bachgen ar unwaith beth oedd wedi digwydd. Nid oedd cwch yno. Roedd Luned wedi dianc. Teimlodd y gwaed yn dechrau rhedeg trwy ei wythiennau eto, a daeth gobaith yn ôl unwaith eto. "Da iawn, Luned bengoch," meddai dan ei anadl.

Ond ar y gair, rhedodd un o'r dynion a fu'n sefyll ar fin y don yn ôl at yr ogof.

"Mae 'na gwch fan draw," gwaeddodd gan bwyntio â'i fys allan i gyfeiriad y môr. "Mae'r eneth yn hwylio am y pentir acw sydd â'i drwyn i'r môr. Ie, dyna mae hi wedi'i wneud. Edrychwch! Dyma ôl y cwch yn cael ei lusgo i'r dŵr, ac ôl yr angor yn cael ei godi o'r tywod!"

"Mi awn ni ar ein ceffylau ar unwaith!" gorchmynnodd Merfyn Goch. "Mi awn dros y tir i'w chyfarfod! Penrhyn Porthdinllaen ydi'r trwyn sy'n ymestyn i'r môr. Rhaid cadw golwg ar y cwch, doed a ddelo! Rhaid i ni farchogaeth mor agos ag y gallwn at allt y môr yr holl ffordd!"

Prin oedd Rhys wedi cilio'n ôl i'r tŷ, nad oedd y dynion wedi rhuthro i fyny'r grisiau cudd. Brysiodd y criw drwy'r tŷ gan ei anwybyddu a chroesi'r buarth i gyfeiriad y stablau. Dilynodd Rhys hwy a'i obeithion wedi llwyr ddiflannu. Roedd popeth fel pe bai'n cydweithio yn ei erbyn. Nid oedd modd achub Luned bengoch. Byddai Merfyn Goch a'i ddynion yn ei chyfarfod pan fyddai'n glanio ym mae Porthdinllaen ac nid oedd hi'n bosibl ei rhybuddio.

"Biti garw na fuaset wedi cychwyn ynghynt, Luned," meddai Rhys yn uchel, o waelod ei galon.

Roedd yn gwybod bod Luned wedi gollwng y cwch i'r môr y foment y sylweddolodd fod y dynion wedi darganfod y fynedfa i'r ogof, ac mai'r sŵn byddarol uwchben a wnaeth iddi amau hynny. Ond roedd un peth yn sicr. Byddai ef wrth ei hochr hi i'r diwedd!

Rhedodd yn gyflym ar ôl y marchogion. Nid oedd yn anodd eu cadw mewn golwg. Roedd yn amlwg bod Merfyn a'i ddynion yn cael trafferth i farchogaeth dros y tir gwyllt mor agos at y gelltydd, a'r creigiau serth lle rhuai'r môr stormus oddi tanynt. Roeddent yn marchogaeth gydag ymylon yr allt trwy gorstir a mawndir. Gwelodd Rhys un ceffyl yn syrthio i ffos ddofn, a'r marchog yn cael helbul i'w arwain ohoni.

Weithiau, roedd y meirch yn suddo dros eu carnau mewn tir soeglyd, ac weithiau, roedd y marchogion yn cael eu gorfodi i ddal i mewn ymhell i'r tir er mwyn osgoi hafnau dwfn a edrychai fel petai rhyw gawr wedi hollti'r allt â'i gyllell. Bryd hynny, roeddent yn colli pob golwg ar y cwch a oedd yn edrych fel ysmotyn bach du yng nghanol yr ewyn. Roedd Rhys yn teimlo bod tynged Luned wedi'i setlo.

Ymlaen â'r marchogion, ac ymlaen â'r cwch. Roedd y tonnau'n uchel yn y bae, a gwynt cryf yn chwythu o'r de-orllewin. Roedd hwn yn wynt croes i Luned ond gwelai Rhys nad oedd yn gallu llesteirio fawr arni. Llithrai'r cwch ymlaen yn sionc gan dorri ewyn.

Ar ôl gadael Nefyn ar y chwith iddynt, marchogodd y dynion dros dir diffaith, anghysbell, gydag allt serth y môr wrth ei ymyl. Roedd eu llygaid wedi'u hoelio ar greigiau'r Henborth a oedd yn rhedeg fel llinell dywyll ymhell i'r tonnau. Eu hamcan oedd cyrraedd yno cyn i Luned gael cyfle i ddianc.

Ond yn sydyn, clywodd Rhys ei lais ei hun yn gweiddi fel pe bai heb yn wybod iddo.

"Gwyliwch! Gwyliwch! Daliwch fwy i'r tir, er mwyn popeth! Gwyliwch Bwll Pant y Saeson!"

Ond roedd sŵn carnau'r meirch a rhu'r tonnau'n boddi pob sŵn arall, a'r marchogion yn mynd yn syth at gors dwyllodrus Pwll Pant y Saeson.

"Gwyliwch! Gwyliwch! O gwyliwch! Y nefoedd fawr! Maen nhw ynddo fo! Dyna un i lawr! Ac un arall! O Dduw, bydd drugarog wrthynt. Trugarha wrthynt!" gwaeddodd Rhys gan syrthio ar ei liniau.

Cors Pwll Pant y Saeson! O'r nefoedd fawr! Y gors lle roedd hesg a brwyn yn tyfu ar yr wyneb gwyrdd twyllodrus. Ni fyddai neb yn dychmygu bod angau'n cuddio yn ei mynwes ddu! Ac roedd rhai o'r marchogion ynddi! Crynai Rhys fel deilen ac roedd iasau'n rhedeg trwy ei holl gorff wrth feddwl am y llaid a oedd yn sugno pobl ac am eu hymdrechion i ddod o'i afael.

Neidiodd y bachgen oddi ar ei liniau a rhedodd nerth ei draed tuag at y pwll, yn union fel gwallgofddyn. Gwelodd ddau neu dri o'r dynion ar eu gliniau ar lan y pwll twyllodrus a'u ceffylau'n rhedeg yn wyllt hyd y tir llawn corsydd, gan weryru yn eu dychryn. Erbyn iddo gyrraedd yno roedd Pwll Pant y Saeson mor deg dwyllodrus ag erioed. Roedd y llysnafedd gwyrdd a'r brwyn, a oedd wedi agor eu ceg i dderbyn dau o'r dynion, yn gorchuddio wyneb y pwll nes gwneud iddo edrych fel darn o dir iraidd yng nghanol llwydni'r gors.

Yn ei waelod, er bod traddodiad yn mynnu bod Pwll Pant y Saeson yn ddiwaelod, gorweddai Merfyn Goch o Blas Crafnant ac un o'i ddynion. Ac nid oedd arwydd ar yr wyneb gwyrdd fod unrhyw beth wedi cynhyrfu'r gorchudd twyllodrus hwnnw.

"Fan yma y maen nhw! Fan yma y maen nhw!" meddai un o'r dynion yn hurt, gan bwyntio at y gwyrddni o'i flaen. "Fan yna y maen nhw! Pa ddewin fyddai'n breuddwydio mai pwll yw peth fel hyn?"

"Mi ddylwn fod wedi'ch rhybuddio cyn i chi gychwyn am Bwll Pant y Saeson," meddai Rhys, a'i wefusau gwelw'n crynu.

Teimlai'r geiriau yn ei dagu. Nid oedd yn ddigon hen eto i edrych ar beth fel hyn heb gynhyrfu drwyddo.

"Mi ddigwyddodd damwain yma flynyddoedd yn ôl," meddai. "Adeg gwrthryfel oedd hi. Suddodd nifer fawr o Saeson iddo. Dyna pam rydyn ni'n ei alw'n Bwll Pant y Saeson."

"Cei di ei alw be fynnot ti o'm rhan i," meddai un o'r dynion yn gynhyrfus. "Rydw i'n mynd yn ôl y funud 'ma! Tâl yw peth fel hyn am erlid y diniwed. Fuo 'rioed ddaioni o beth fel hyn. Dewch, fechgyn, rhag i rywbeth gwaeth ddigwydd i ni."

Aethant ar ôl eu meirch, gan adael Rhys yn sefyll yno ei hun. Syllai'n ddiymadferth a mud ar y llysnafedd gwyrdd, fel pe bai'n cael ei lygad-dynnu ganddo, a chwys oer yn tasgu o'i dalcen. Yna, disgynnodd ar ei liniau a phlethodd ei ddwylo.

Roedd wedi anghofio'r cwbl am y cwch, ac erbyn craffu, gwelodd ei fod erbyn hyn yn nesáu at greigiau eithaf Porthdinllaen a Luned ar fin glanio. Rhuthrodd yntau yno.

Nid oedd dim i ddangos bod Merfyn Goch ac un o'i ddynion wedi'u gadael ar ôl yn llaid Pwll Pant y Saeson, heblaw am ambell aderyn ar y lan yn clochdar a galaru oherwydd bod ei nyth yn yr hesg wedi'i ddinistrio.

Pennod 22

Rhyfeddodd Luned o weld Rhys yn ei chyfarfod ym Mhorthdinllaen. Fel y tybiodd y bachgen, roedd wedi codi angor yn Ogo'r Morlo cyn gynted ag yr aeth i lawr yno, rhag ofn y byddai angen y cwch arni'n ddirybudd, ac felly yn union y bu. Roedd wedi clywed lleisiau'r dynion pan oeddent yn ceisio agor y gist, ac wedi dyfalu ar unwaith eu bod wedi darganfod y ffordd i'r ogof. Llwyddodd i neidio i'r cwch a rhwyfo allan i'r môr cyn iddynt gyrraedd yr ogof.

"Wyt ti'n sâl, Rhys?" gofynnodd. "Be sydd arnat ti? Wnaeth yr hen ddynion yna dy ddychryn di? I ble'r awn ni rŵan, Rhys?"

"Sawl cwestiwn wyt ti am ofyn ar unwaith, Luned?" gofynnodd yntau. "Mi ateba i ddau ohonyn nhw. Na, dydw i ddim yn sâl. Ac adre ar ein hunion yr ydan ni am fynd."

"Ond beth am y Merfyn Goch yna?" holai Luned yn betrusgar. "Ble mae o, Rhys?"

Camodd Rhys i'r cwch a soniodd wrthi am yr hyn a ddigwyddodd i Merfyn Goch. Daeth dagrau i lygaid Luned, yr unig ddagrau i neb eu colli ar ôl Merfyn Goch o Grafnant.

Bu distawrwydd rhyngddynt am ysbaid, a'r ddau wedi ymgolli yn eu meddyliau eu hunain. Roedd Luned yn wylo'n ddistaw, a cheisiodd Rhys droi ei meddyliau oddi wrth y gors.

"Wn i ddim sut y medraist ti rwyfo yma mor gyflym, a'r môr mor gynhyrfus ar ôl gwynt y gogledd neithiwr," meddai. "Roedd arna i ofn bob munud dy weld di'n mynd o'r golwg. Mae'n well i ni fynd yn ôl dros y tir, gan fod y môr mor wyllt. Mi gawn ddod yma fory i nôl y cwch."

"O, na, na!" meddai hithau'n bendant. "Mi awn ni efo'r cwch. Wna i byth fynd heibio'r hen Bwll Pant y Saeson yna eto tra bydda i byw! Druan o Merfyn Goch a'r dyn oedd efo fo."

Ni ddywedodd Rhys air, ond gwyddai'n iawn na fyddai bywyd Luned byth wedi bod yn ddiogel tra byddai Merfyn Goch yn fyw.

Ar ôl angori'r cwch yn Ogo'r Morlo, aethant i fyny'r grisiau tuag at y gist. Wrth ddringo, roeddent yn gallu clywed sŵn siarad uchel yn neuadd Castell Gwrtheyrn. Gwnaeth Rhys dipyn o dwrw wrth agor gwaelod y gist. Pan wthiodd ei ben i'r golwg, gwelodd Modryb yn sefyll ar ganol y llawr.

"O Rhys, mi wnest ti fy nychryn i," meddai. "Mae arna i ofn bob sŵn ar ôl i'r hen ddynion yna fod yma'n troi ein calonnau! Ble mae Luned? O, dyma hi! Diolch am dy weld di, 'ngeneth i. Gobeithio bod yr hen ddynion yna wedi mynd yn ddigon pell. 'Drychwch pwy sydd yma."

Trodd y ddau i edrych, ac er eu syndod a'u llawenydd pwy gamodd ymlaen o'r cysgodion y tu ôl i Modryb ond Dafydd. Rhedodd Luned ato a'i gusanu.

"O, Dafydd, mae'n dda gen i dy weld di! Ble mae Meistr?" oedd ei chwestiwn cyntaf. "Ydi Meistr yma hefyd?"

"Na, cael fy anfon yma i ddweud newydd da wrthyt ti wnes i. Mi ges fy anfon yn unswydd gan y Tywysog ei hun, ac mae o am i mi ddeud wrthyt ti na fydd Owain Glyn Dŵr byth yn anghofio'i gyfeillion. Wyt ti'n gwybod pwy wyt ti, Luned?"

"Ydw, yn iawn," meddai hithau. "Luned bengoch, wrth gwrs. Paid â gofyn cwestiynau ffôl, Dafydd. Hidia befo pwy ydw i. Gad i ni glywed hanes y rhyfel. Gad i mi glywed am y Tywysog a'r Meistr. Gad i mi glywed y cwbl tra bydda i'n bwyta. Rydw i heb gael tamaid o fwyd ers ddoe, cofia."

Mewn amrantiad, roedd Modryb a Gwen wedi rhoi bwyd ar y bwrdd ac nid oedd gair i'w gael gan Luned am ychydig.

"Gad i ni gael dipyn o'r hanes, Dafydd," meddai Rhys. "Ddaru chi ymosod ar Iarll Grey? Neu ddaru'r Iarll ruthro arnoch chi? Roedd 'nhad yn disgwyl ymosodiad unrhyw funud, medda fo, pan oedd Luned a fi ym Mhumlumon."

"Do, fachgen," meddai Dafydd a'i lygaid yn fflachio. "Ac mae'r Iarll wedi'i ddal yn garcharor!"

"Ble oedd y frwydr?" holodd Rhys eto, a'i lygaid yn disgleirio.

"Yn nyffryn afon Efyrnwy," atebodd Dafydd. "Beth pe baet ti'n gweld dynion Owain Glyn Dŵr yn arllwys i lawr y gwastadedd o fynyddoedd Pumlumon, Rhys! Do, mi gawson ni fuddugoliaeth ardderchog! Ond aros i mi ddeud fy neges yn gyntaf. Mi gei di hanes y rhyfel wedyn."

"Mae'r rhyfel yn bwysicach o lawer na dy neges di, beth bynnag ydi hi," meddai Luned, a'i llygaid fel sêr. "Dos ymlaen efo'r hanes, Dafydd."

"Aros di funud," meddai Dafydd. "Mae fy neges yn bwysicach i ti na hyd yn oed y rhyfel. Wyddost ti pwy wyt ti?"

Gwylltiodd Luned yn gacwn am funud, fel y byddai'n arfer.

"Paid â bod mor wirion, Dafydd," meddai'n ddiamynedd. "Be sy ar dy ben di yn gofyn peth mor wirion? Rydw i'n gwybod yn iawn pwy ydw i, ac rwyt tithau'n gwybod hefyd!"

"Ydw," atebodd yntau, "mi ydw i'n gwybod yn iawn. Ond dwyt ti ddim. Modryb, Gwen, Rhys – edrychwch yma."

Gafaelodd ym mraich Luned a thynnodd hi ato. "Dyma Luned, merch Caradog ab Merfyn Goch o Blas Crafnant!" meddai.

Pennod 23

Daeth tawelwch llethol dros yr ystafell am funud. Yna trodd Luned at Dafydd. "Paid â siarad lol, Dafydd," meddai'n geryddgar. "Rwyt ti'n siŵr o fod yn drysu."

"Drysu neu beidio, 'ngeneth i," oedd ateb Dafydd, "mae'r profion gan Owain Glyn Dŵr. Roedd o wedi amau pwy oeddet ti pan welodd o di ym Mhumlumon. Roedd yn siŵr o'r peth. Ond doedd ganddo fo ddim prawf yn y byd heblaw dy fod di'n debyg i dy dad."

"Roeddwn i wedi amau rhywbeth felly," meddai Rhys yn dawel. "Sut cawsoch chi'r prawf?"

"Mi fu'r Tywysog, y Cadfridog Rhys Gethin o Nant Conwy, a 'nhad yn siarad yn hir y noson ar ôl i chi adael Pumlumon," meddai Dafydd. "Doedd fy nhad erioed wedi cyfarfod Caradog ab Merfyn Goch, ac felly roedd y peth yn hollol newydd iddo. Ond roedd brawd y Cadfridog, Hywel Coetmor, un o swyddogion Glyn Dŵr, yn gyfeillgar â Caradog ab Merfyn Goch ac roedd o'n cofio'r hanes yn iawn."

"Roedd yn dda ei fod o wrth law," meddai Rhys.

"Oedd. Ac mi gofiodd 'nhad bod Nain wedi sôn wrtho, yn ei dryswch y noson y bu farw, am ryw ddyn a oedd yn grythor ac yn fardd teulu yn rhoi memrwn iddi. Ar ôl clywed hynny orffwysodd Glyn Dŵr ddim nes iddo dod o hyd i fardd teulu Plas Crafnant yr adeg yr aeth si ar led fod yr eneth fach, aeres Caradog ab Merfyn Goch, wedi marw."

"Be oedd gan hynny i'w wneud â'r peth? O ble cafodd o'r memrwn?" gofynnodd Rhys.

Roedd Modryb a Gwen yn edrych fel pe baent wedi'u syfrdanu, ac yn gwrando'n astud heb ddweud gair.

"Rydw i'n siŵr dy fod di'n gwybod, Rhys, mai rhan o waith y bardd teulu bob amser ydi bod yn gyfrifol am gofnodion y teulu. Y bardd teulu sy'n gyfrifol am bob memrwn a phapur pwysig ynglŷn â'r teulu a'r stad. Ar ôl i Caradog ab Merfyn Goch a'i wraig farw, roedd popeth ynglŷn â'r stad yng ngofal y bardd teulu. Efo help Iolo Goch, bardd llys y Tywysog, cafwyd hyd i fardd teulu Plas Crafnant yr adeg y diflannodd yr eneth fach."

"Ac roedd y papurau ganddo, wrth gwrs," meddai Rhys yn chwilfrydig.

"Dim un," meddai Dafydd. "Roedd Merfyn Goch, neu yn hytrach Merfyn Ddu, fel roedd pawb yn ei law, wedi'u cael i gyd ond un pan etifeddodd y stad. Mi fyddai'n well gan Merfyn Ddu gael hwnnw na'r un."

"Mi wn i'n iawn pa un oedd hwnnw," meddai Rhys. "Y memrwn oedd yn profi genedigaeth Luned, merch Caradog ab Merfyn Goch, ac aeres Plas Crafnant."

"Eitha gwir," meddai Dafydd. "Ar ôl cyflafan Plas Crafnant roedd y bardd teulu, Eilias ap Meirig, wedi mynd yn fardd crwydr. Mi ddywedodd hwnnw fod hanes y papurau'n wir ac iddo roi'r memrwn pwysig a oedd yn profi pwy oedd yr eneth fach i'r hen wraig a gymerodd hi i'w magu. Nain oedd honno, wrth gwrs. Mi fu Merfyn Ddu yn chwilio pob man am y memrwn, er mwyn ei ddifa."

"Dafydd! Dafydd!" meddai Modryb. "Rydw i'n rhyfeddu ac yn dwbwl ryfeddu o glywed dy stori. Dywed i mi, pwy oedd Nain, felly? A sut y daethant i wybod nad oedd yr eneth fach wedi marw?"

"Doedd dim sôn yn unman am farwolaeth plentyn," meddai Dafydd. "Ond roedd prawf pendant bod gwraig weddw, hen forwyn ym Mhlas Crafnant, wedi cael swm mawr o arian gan Merfyn Ddu i fynd â'r eneth fach yn ddigon pell fel na fyddai neb yn clywed sôn amdani byth mwy. Rydych chi'n gwybod pwy oedd y wraig a phwy oedd yr eneth fach."

"Ble cafwyd hyd i'r prawf am Luned?" holodd Rhys, er ei fod yn gwybod beth fyddai'r ateb cyn i Dafydd ei roi. Nid oedd Luned wedi agor ei cheg. Safai fel delw â'i dau lygad glas yn syllu ar Dafydd.

"Yma, yn Nant Gwrtheyrn, wrth gwrs," atebodd Dafydd. "Dyna pam daeth y crythor yma. Eilias ab Meirig oedd o, ac mi wnaeth o adnabod Luned ar unwaith. Cafodd Eilias ei anfon yma."

"A ninnau'n meddwl mai lleidr oedd o!" meddai Rhys. "Ond sut ar y ddaear roedd y crythor yn gwybod, na neb arall, mai o dan garreg yr aelwyd ym mwthyn Nain roedd y guddfan?"

"Doedd y crythor, na neb arall, yn gwybod ble roedd hi," meddai Dafydd. "Ond mi gofiodd 'nhad fod yr hen wraig, cyn marw, yn cyboli rhywbeth am garreg yr aelwyd. Dyna wnaeth i Eilias fynd yno."

"Mi wela i'r cwbl yn glir rŵan," meddai Rhys. "Mi wyddwn yn iawn fod gan Merfyn Ddu reswm mawr dros gael Luned oddi ar y ffordd. Rydw i'n deall hefyd pam nad aeth y crythor â'r aur gydag o. Nid chwilio am yr aur roedd o, ond am y memrwn! Ond pam wnaeth o esgus ei fod yn ddall, ac yntau'n gweld cystal â minnau? Doedd dim pwrpas mewn peth felly."

"O, oedd," eglurodd Dafydd. "Yn un peth, doedd o ddim am i neb ei nabod o. Pe bai Merfyn Ddu yn digwydd dod i wybod bod Eilias ab Meirig yng nghyffiniau Nant Gwrtheyrn, mi fyddai'n amau ar unwaith fod rhywbeth yn y gwynt. Hefyd, mae pawb yn tosturio wrth ddyn dall, a fyddai neb yn breuddwydio mai fo fyddai'n gyfrifol am falurio'r bwthyn. Petai Eilias heb gael gafael yn y memrwn o dan garreg yr aelwyd, roedd wedi cael gorchymyn i dynnu pob carreg o'r wal er mwyn dod o hyd iddo. Roedd yn siŵr mai gan Nain roedd o, wel'di, gan mai fo'i hun oedd wedi'i roi iddi. Ac ni fyddai neb yn ei bwyll yn meddwl cyhuddo dyn dall o falurio unrhyw adeilad, waeth pa mor sâl y mae. Wyt ti'n gweld rheswm yn y peth rŵan?"

"Ydw," meddai Rhys. "Ond mae'n rhyfedd meddwl nad oedd Nain yn perthyn yr un dafn o waed i Luned."

Hyd yn hyn nid oedd Luned wedi dweud dim. Daliai i wrando'n astud ar bob gair, â'i llygaid yn llawn gofid a phryder. Ond yn awr agorodd y llifddorau.

"Paid â deud peth fel yna, Rhys! Nain oedd hi i mi, a Nain fydd hi! A does arna i ddim eisio bod yn ferch i Caradog ab Merfyn Goch na neb arall, a does arna i ddim eisio clywed sôn am Blas Crafnant tra bydda i byw!"

"Mae'n rhaid i ti, os wyt ti'n hoffi hynny ai peidio,"

meddai Dafydd.

"Taw, Luned, taw mewn munud!" meddai Modryb yn chwyrn. "Mae'n ddyletswydd arnat ti i feddiannu eiddo dy dad a'th fam, ac mi ddylet fod yn ddiolchgar i Owain Glyn Dŵr am drafferthu efo chdi."

"O, ydw, ydw, Modryb! Rydw i'n ddiolchgar iawn i'n Harweinydd am drafferthu efo un fel fi," meddai Luned. "Ond yma rydw i am fod. Yma mae 'nghartre i!"

"Mi fydd Merfyn Ddu allan o Blas Crafnant cyn diwedd yr wythnos," meddai Dafydd. "Mi fydd ein Tywysog a chyfraith gwlad yn gwneud yn siŵr o hynny!"

"Mae o wedi mynd oddi yno'n barod, ac aiff o byth yn ôl, Dafydd," meddai Rhys yn dawel. "Mae Merfyn Ddu ac un o'i ddynion yn gorwedd yng ngwaelod Pwll Pant y Saeson." A dywedodd yr holl hanes wrthynt.

"Y lle gorau iddo fo, a phob cnaf tebyg iddo fo," meddai Dafydd yn hollol ddideimlad.

"Ond meddylia amdano fo'n mynd i dragwyddoldeb heb gael munud o amser i edifarhau," meddai Modryb. Roedd gwaed Dafydd, fodd bynnag, yn berwi o ddicter wrth feddwl am y cam a gafodd Luned.

"Chafodd o ddim ond ei haeddiant," meddai'n gyndyn.

"Taw, Dafydd, taw," meddai Luned. "Petai o heb arbed fy mywyd i a'm rhoi i i Nain, mi fyddai'n fyw heddiw! Mae gen i achos i ddiolch iddo fo am arbed fy mywyd. A meddylia sut y collodd o ei fywyd! Druan o Merfyn Goch!" A chollodd Luned ddeigryn arall ar ôl y bradwr a fu'n gyfrifol am farwolaeth ei thad ar ochr Eryri.

Ond nid oedd Luned yn gwybod hynny.

Pennod 24

Cerddai Luned a Rhys hyd lethrau'r Eifl heb ddweud fawr ddim wrth ei gilydd. Daeth yr amser i Luned adael Nant Gwrtheyrn i fynd i fyw yng nghartref ei thad a'i mam ym Mhlas Crafnant.

Daeth llawenydd mawr i ardal Crafnant pan glywodd y trigolion fod geneth Caradog ab Merfyn Goch yn fyw, a bod yr hil goch eto'n dod yn ôl i fyw i Blas Crafnant.

"Maen nhw'n deud ei bod hi'r un ffunud â'i thad," meddai rhywun.

"Wel, os bydd hi'n rhywbeth tebyg i'w thad, mi ddaw'n llawer gwell arnon ni. Rydan ni wedi dioddef digon o dan yr hen Merfyn Ddu yna," meddai un arall. "Diolch am gael gweld pen cyrliog, coch unwaith eto yn y plas, yn lle pen a chydwybod du."

Roedd hi'n amlwg bod pob calon yn barod i groesawu Luned pan fyddai'n dod i'w threftadaeth. Ond nid oedd Luned ei hun yn teimlo unrhyw awydd am adael ei hen gartref. Cerddai Rhys a hithau'n araf ac yn feddylgar trwy'r grug ar y llethrau. Edrychai Luned yn hiraethus i waelod y dyffryn cysgodol ac isel, tuag at fwthyn Nain.

"Petawn i heb dy ddilyn di i Bumlumon yr adeg honno, fyddai dim rhaid i mi adael y lle yma o gwbl," meddai. "Meddylia di am yr holl flynyddoedd roeddwn i'n byw yn y fan acw efo Nain, a soniodd neb am enw Caradog ab Merfyn Goch wrthyf. Ond cyn gynted ag yr es i ar grwydr, dyma ddechrau sôn am fy mherthynas i â 'nhad. Piti i mi ddod ar dy ôl di, yntê, Rhys?"

"Paid â deud peth fel yna, Luned," meddai yntau. "Fuaswn i byth wedi gweld ein Tywysog, Owain Glyn Dŵr, oni bai amdanat ti. Fuaswn i byth wedi medru ei wynebu o petawn i wedi colli'r llythyr."

"Ie," meddai Luned, "doeddwn i ddim yn cofio am y llythyr. Meddwl roeddwn i sut wnaeth y dynion yna fy nabod i. Erbyn meddwl, Rhys, roedd Nain wedi dewis lle iawn i guddio ac i fyw ynddo."

Edrychodd y ddau'n syn i waelod y dyffryn. Roedd yr haul yn tywynnu ar dalcen yr hen furddun a oedd mor annwyl gan Luned, a daeth rhyw lwmp i'w gwddf. "Sut meddyliodd Nain am y lle yma, tybed?" meddai o'r diwedd. "Sut oedd hi'n gwybod am y fath le?"

"Mae'n debyg mai Merfyn Ddu a ddewisodd y lle iddi," meddai Rhys. "Fedri di feddwl am le saffach i guddio ynddo petai gelyn yn dod amdanat ti? Dyna'r môr fan yna o'i flaen, a'r mynyddoedd uchel yma o'i gwmpas, nes ei fod yn union fel dysgl ddofn ag un ochr wedi'i thorri."

"Mae'n hawdd deall pam y daeth yr hen Wrtheyrn yma i guddio ar ôl troi'n fradwr," meddai Luned. "Does dim sôn bod neb wedi dod o hyd iddo, chwaith."

"Nac oes," cytunodd Rhys. "Mi gafodd fyw a marw yma, a'i gladdu yma hefyd, o ran hynny."

Edrychodd y ddau i gyfeiriad y wal uchel a oedd yn fedd i'r hen dywysog a fynnodd werthu ei genedl.

"Mi fuaswn innau'n licio byw a marw yma hefyd," meddai Luned.

"Wnei di ddim deud hynny pan fyddi di'n etifeddes Plas Crafnant," meddai Rhys. "Meddylia am y plas, y tai a'r tiroedd sy'n eiddo i ti! Dydi Castell Gwrtheyrn yn ddim ond ffermdy cyffredin o'i gymharu â Phlas Crafnant."

"Yma efo Modryb a Gwen a thithau rydw i'n dymuno bod," meddai Luned yn gyndyn, a dagrau yn ei llygaid. "Does arna i ddim eisio mynd oddi yma."

"Ond be am dy ddyletswydd di i dy deulu, dy dad a dy fam ac i dy hynafiaid?" ymresymai Rhys.

"Ie," atebodd hithau, gan grychu ei haeliau. "Dyna'r unig beth sydd yn fy nghysuro."

Cerddodd y ddau yn eu blaenau mewn distawrwydd ar hyd llwybr unig rhwng perthi eithin a grug. "Mi ddof yno i dy weld di'n aml, Luned," meddai Rhys o'r diwedd, "a dod â Gwen efo mi." Roedd rhyw lwmp yn ei wddf, a rhyw losgi rhyfedd yn ei lygaid.

Erbyn hyn roeddent wedi cyrraedd Ffynnon Gywarch ar lethr Tre'r Ceiri. Dywedai traddodiad y byddai i bwy bynnag a fyddai'n taflu darn o arian iddi, a dymuno'r un pryd, gael ei ddymuniad. Credai pawb o'r ardal yn y traddodiad. Eisteddodd Rhys a Luned ar y meini llwyd a warchodai'r ffynnon, a'r haul yn cochi'r grug a'r eithin o'u cwmpas wrth iddo fachlud.

"Mae gen i ddau ddarn o arian yn y fan yma," meddai Rhys gan eu tynnu allan o'i boced, "ac rydw i am ddymuno rhywbeth. Mi gei dithau'r darn arall i wneud yr un fath."

Taflodd y darn arian i waelod dwfn yr hen ffynnon dywyll. Bu distawrwydd am ychydig wrth i'r ddau wylio'r dŵr yn creu tonnau mân hyd at ei hymyl, ac yna'n llonyddu eto nes iddo edrych fel darn o wydr tywyll.

"Be ddaru ti ddymuno, Rhys?" gofynnodd Luned, gan ddal i edrych ar y dŵr.

"Wna i ddim deud," meddai yntau.

"Os na wnei di ddeud, wna i ddim dymuno o gwbl," meddai Luned.

"Wel, os oes rhaid i ti gael gwybod," atebodd Rhys yn araf, "dymuno wnes i y ca i fod yn swyddog ym myddin Owain Glyn Dŵr pan fydda i'n ddigon hen, a chael priodi Luned bengoch."

Daeth ton o wrid i wyneb Luned, ac meddai, gan gymryd arni fod yn ddig, "Paid â 'ngalw i'n Luned bengoch byth eto! Luned, merch Caradog ab Merfyn Goch o Crafnant, ydw i rŵan!"

"Rydw i'n cofio hynny'n eitha da," meddai Rhys yn dawel. "Ond Luned bengoch fyddi di i mi byth. Dy dro di ydi dymuno rŵan."

Plygodd Luned uwchben y ffynnon, a thaflu'r darn arian i lawr i'r dŵr.

"Be ddaru ti ddymuno, Luned?" gofynnodd Rhys.

Bu Luned yn hir cyn ateb. Yna dywedodd, gan ddal i syllu ar y dyfroedd llonydd, "Dymuno gwnes i, i dy ddymuniad di ddod yn wir!"